Réamhrá - Preface

Fáilte romhat!

This book covers 3 Contexts of Learning closely mirroring the CCEA Revised GCSE Irish Specification. These 3 contexts are further broken down into 13 topics. In each topic section you will see, hear and learn subject specific vocabulary. The exercises provided will allow you to practice and improve your listening, speaking reading and writing skills.

You will have a chance to assess your learning by completing the exercises in the book. To further assist a deeper understanding of how the language works a Grammar section has been included. The Grammar section will expand on areas highlighted within the main body of the contexts and will offer additional information to facilitate your learning. To assist the richness of language learned you will see a 'Saibhreas' icon in sections. This Saibhreas icon will draw your attention to proverbs and phrases which will enrich your language.

The materials in the book have been designed to allow the full range of GCSE Irish learners to access materials suited to their learning needs.

This book was written by practicing teachers who have many years of experience teaching Irish at all levels. They have used their classroom experience to produce materials that will assist and consolidate learning.

There are clear icons used throughout the book which will inform you about the skills area you are entering.

This book is accompanied by listening files and scripts and will be used in conjunction with the listening exercises in the book. The files and scripts are accessible, free of charge, from the CCEA website. To access the materials log on to the CCEA Irish website – www.ccea.org.uk/irish - select 'GCSE' and you will be directed to the scripts and listening files. These scripts and listening files can be downloaded to be used at your convenience.

The publishers would like to thank Seán McNally B.A. Hons, M.A., PGCFHE for his hard work and dedication in editing this book, and for doing so within a challenging timescale.

We hope you enjoy this book and that it helps to accelerate your learning of the Irish language.

Ádh mór ort!

Copyright Notices

Contents

Context 1: The Individual

Context 2: Citizenship

Context 3: Employability

Grammar

Context 1
The Individual
1A: Myself, Family and Friends

By the end of this unit, you will be able to understand vocabulary relating to Yourself, Family and Friends and you will be able to produce a piece of work in speech and in writing on this topic.

In this unit you will learn about;

- Discuss myself, my family and friends
- Describe character
- Prepare a presentation on this topic
- Write a personal letter

Grammar associated with this unit:

- Numbers and dates
- Personal pronouns
- Possessive pronouns
- Prefixes
- Eclipsis
- Adjectives

Read the following passage. Answer, **in English,** the questions which follow.

Dónall

Dónall an t-ainm atá orm agus tá mé ceithre bliana déag d'aois. Ó Coinn an sloinne atá orm. Tá mo chuid gruaige donn agus tá mo shúile gorm. Tá mé ard agus measartha tanaí. Tá mé iontach cainteach agus cairdiúil. Tá mé spórtúil agus measartha dúthrachtach. Rugadh i nDoire mé, ach tá mé i mo chónaí in Ard Mhacha anois. Is breá liom an iomáint agus an pheil.

1. What age is Dónall?
2. Describe his physical appearance, making **three** points.
3. How does he describe his personality? Make **two** points.
4. Where is Dónall from?
5. What sports does he enjoy?

orm	me
ort	you
air	him
uirthi	her
orainn	us
oraibh	you
orthu	them

Rewrite the passage above adding in phrases from the 'saibhreas' list below.

Saibhreas

Do m'aois...	-	for my age
De réir mo chairde...	-	according to my friends
Sílim go bhfuil mé...	-	I think I am
Tig liom bheith	-	I can be
Measartha	-	quite
Iontach	-	very
Rud beag	-	a little bit
Tá an-dúil agam i	-	I really like…

Dónall continues.

Tá cúigear i mo theaghlach – mo thuismitheoirí, mo bheirt deartháireacha agus mé féin. Is mise an duine is sine sa chlann, agus is é Ciarán an duine is óige sa chlann. Réitím go maith le mo theaghlach, ach bím ag argóint le mo dheartháireacha anois is arís.

Saibhreas

Mo thuismitheoirí san áireamh -   including my parents

Bím ag argóint le...   -   I argue with

Anois is arís...   -   now and again

1.   How many are in Dónall's family?

2.   Who is the eldest?

3.   Who is the youngest?

A.   The following are sentences similar to those in the previous passages. Make small groups and see if you can rewrite the sentences in Irish. Each person in the group could take two sentences each. If you can't find a word or phrase ask someone in your group if they know it.

1.   Her name is Sinéad.

2.   I am fifteen years old.

3.   My surname is Mac Lochlainn.

4.   My hair is blonde and my eyes are green.

5.   I am quite small and very funny.

6.   I can be lazy now and again.

7.   I don't like hurling.

8.   There are 10 in my family, including my parents.

B.   Write a continuous passage about yourself similar to the two passages above. Use as many phrases as you can from the 'saibhreas' list.

You are going to hear Ciarán talking about himself. You will hear each recording twice.

Answer **in English** the questions which follow.

A.   Ciarán tells you about himself.

1.   How does Ciarán describe himself?

2.   What colour is Ciarán's hair?

Ciarán continues...

1.   What colour are Ciarán's eyes?

2.   How does he describe his personality? Make **one** point.

B. You are going to hear Síofra talking about herself. You will hear each recording twice. Answer, **in English,** the questions which follow.

1. How does Síofra describe herself?
2. What colour is Síofra's hair?
3. What colour are her eyes?

Síofra continues to talk about herself.

1. Síofra is aged…
   (i) 15
   (ii) 5
   (iii) 16

2. Her birthday is on…
   (i) 23 February
   (ii) 23 August
   (iii) 23 January

3. She lives in…
   (i) Derry
   (ii) Ballymoney
   (iii) Ballymena

C. Listen to Éamonn talking about his family. Identify the four statements that are true.

(a) There are seven in Éamonn's family.
(b) Éamonn's mother is a teacher.
(c) His sister is the youngest in the family.
(d) He has three brothers.
(e) Éamonn's family lives in Dublin.
(f) He enjoys cycling.
(g) He has a cat as a pet.

Aidiachtaí – Adjectives

Look at the illustrations of people opposite. Match the adjective to the description.

ard	**falsa**
cainteach	**spórtúil**
cairdiúil	**greannmhar**
dóighiúil	**cineálta**
cliste	**ciúin**

Seán Ó Néill

Léigh an t-alt agus freagair na ceisteanna a leanas **i nGaeilge.**

Dia daoibh uilig go léir. Tá fáilte romhaibh. Is mise Seán Ó Néill agus tá mé i mo chónaí i gcathair Dhoire. Tá mé cúig bliana déag d'aois agus tá mé ard agus tanaí. Is duine measartha cliste mé agus sílim go bhfuil mé cairdiúil agus ciúin. Síleann mo mhúinteoirí go bhfuil mé falsa, áfach.

Tá seisear ar fad i mo theaghlach, mo thuismitheoirí agus tá beirt deirfiúracha agus dearthair amháin agam fosta. Níl mo dhearthair ach sé bliana d'aois agus tá mo dheirfiúracha aon bhliain déag d'aois – is cúpla iad. Is maith liom mo dhearthair ach tig le mo dheirfiúracha bheith amaideach agus leadránach.

1. Cá bhfuil Seán ina chónaí?
2. Cén aois atá ag Seán?
3. Cuir síos ar Sheán.
4. Cá mhéad duine atá ina theaghlach?
5. Cén aois é a dhearthair?
6. Cuir síos ar a dheirfiúracha.

The following phrases will help you construct the answers you need for the sentences above.

1. Tá sé ina chónaí ....
2. Tá Seán............................. d'aois.
3. Tá Seán ....

4. Tá .... i dteaghlach Sheáin.

5. Tá a dheartháir .... d'aois.

6. Tá a dheifiúir .... agus ....

READING

Fionnualá Ní Cheallaigh

Léigh an t-alt.

Dia Duit! Fionnualá an t-ainm atá orm agus tá mé i mo chónaí i mBéal Feirste. Tá mé sé bliana déag d'aois agus bíonn mo bhreithlá ar an chéad lá de mhí Iúil.

Rugadh i mBaile Átha Cliath mé sa bhliain míle naoi gcéad nócha a ceathair. Is duine aclaí, spórtúil mé, agus deir mo chairde go bhfuil mé gealgháireach agus tugtha don ghreann fosta.

Tá cúigear i mo theaghlach. Níl deartháir ar bith agam. Tá mo dheirfiúr óg Caitríona ocht mbliana d'aois agus tá mo dheirfiúr eile Áine trí bliana déag d'aois. Is breá liom peil Ghaelach agus camógaíocht.

Cuir líne faoi cheithre abairt atá fíor.

1. Tá Fionnualá ina cónaí i mBaile Átha Cliath.

2. Bíonn a breithlá ar an chéad lá de mhí Lúnasa.

3. Ní maith léi spórt ar bith.

4. Tá sí gealgháireach agus greannmhar.

5. Séamas an t-ainm atá ar a daidí.

6. Tá beirt deirfiúracha aici.

7. Is í Fionnualá an duine is sine sa chlann.

8. Is aoibhinn léi camógaíocht.

Keep a note of any new words you learned in this passage.

Teaghlach Áine

Comhairle

Listen, focusing carefully on the questions you are being asked. Make notes the first time. The second time you should answer the questions in full. Remember to answer the questions in **English.**

Listen to Áine talking about herself and her family. You will hear each piece twice.

Answer, **in English**, the questions which follow.

1. What age is Áine?
2. Where do they live? Make **two** points.
3. Why were they raised speaking Irish?
4. How does Áine describe her mother? Make **two** points.
5. What does she say about her father?
6. Give details of Áine's brothers and sisters, making as many points as you can for each.

    Sinéad   Órlaith   Colm

Léamh

The following young people talk about themselves and their families. Read and complete the exercises which follow.

Pádraig Mac an tSaoir

Dia duit! Pádraig an t-ainm atá orm. Tá mé cúig bliana déag d'aois agus bíonn mo bhreithlá ar an naoú lá déag de mhí na Nollag. Is as Baile an Chaistil mé, baile beag cois farraige. Tá deartháir amháin agus beirt deirfiúracha agam. Tá siad uilig níos sine ná mé. Oibríonn mo thuismitheoirí i mBéal Feirste. Tá mé cairdiúil agus cainteach agus measartha cliste.

Niall Mac an Fhailí

Cad é mar atá tú? Niall Mac an Fhailí an t-ainm atá orm agus tá mé i mo chónaí i Machaire Fíolta i gContae Dhoire. Rugadh in Iúr Cinn Trá mé sa bhliain míle naoi gcéad nócha a trí. Tá mé seacht mbliana déag d'aois. Níl deirfiúr nó deartháir ar bith agam, ach tá a lán cairde agam. Réitím go maith le mo thuismitheoirí. Tá peata agam – madadh mór. Is breá liom gach sórt ceoil ach go háirithe roc-cheol.

Ciara Ní Mhurchú

Is mise Ciara Ní Mhurchú agus is as Contae Ard Mhacha mé. Tá mé sé bliana déag d'aois agus bíonn mo bhreithlá ar an chúigiú lá de mhí Dheireadh Fómhair. Tá mé i mo bhall de theaghlach measartha mór – ceathrar deirfiúracha, dearthair amháin agus mé féin. Is dochtúir í mo mháthair agus is múinteoir é m'athair. Is í Sinéad an duine is sine sa chlann – tá sí ocht mbliana is fiche d'aois. Tá sí pósta agus tá páiste amháin aici. Is í Clíona an duine is óige sa chlann – tá sí trí bliana déag d'aois. Tá mé cosúil le Clíona. Tá dúil mhór agam sa leadóg agus sa léamh.

Nuala de Rís

Dia duit! Nuala an t-ainm atá orm agus tá mé i mo chónaí ar an Chaisleán Nua. Tá mo thuismitheoirí scartha agus cónaím le mo mháthair agus mo dheirfiúr mhór. Tá mé ocht mbliana déag d'aois agus tá mé ar scoil i nDún Pádraig. Rugadh mé ar an tríochadú lá de mhí Aibreán i Sasana. Tá cat agam darb ainm Spota. Réitím go maith le mo theaghlach. Is cúpla mé - Clíona an t-ainm atá ar mo chúpla. Is breá linn dul chuig an phictiúrlann ag an deireadh seachtaine. Imrím camógaíocht le Sinéad gach Céadaoin fosta.

Matching Exercise

Scríobh **an t-ainm** ceart in aice leis an fhrása chuí. Tá sampla déanta duit.

Sampla: Tá sí ina cónaí ar an Chaisleán = Nuala

1. Is páiste aonair é.
2. Rugadh é ar an naoú lá déag de mhí na Nollag.
3. Is breá léi bheith ag léamh.
4. Tá suim aige sa cheol.
5. Is as Sasana di.
6. Tá sé ina chónaí in aice leis an fharraige.
7. Tá sé cairdiúil agus rud beag cliste.
8. Tá teaghlach mór ag an chailín seo.
9. Is é an duine is óige sa chlann.
10. Rugadh é in Iúr Cinn Trá é ach tógadh é i Machaire Fíolta.

Léigh na hailt thuas os ard sa rang nó sa bhaile.

Scríobh: Use the paragraphs above to help you rewrite the sentences below **in Irish.**

1. I live in a small town by the sea.
2. My parents work in Omagh.
3. I get on well with my family.
4. I have a lot of friends.
5. I am a member of a big family.

6. She has one child.

7. I love all kinds of sport – especially Gaelic football.

8. She is married.

9. I really like music and sport.

10. I was born in Belfast.

11. I look like my sister.

Léigh an t-alt seo.

Seanmháthair Liam

Is duine an-speisialta í mo sheanmháthair. Úna an t-ainm atá uirthi. Rugadh i nGaeltacht Thír Chonaill í. Ba í an duine is sine sa chlann í. Bhí ceathrar deartháireacha agus triúr deirfiúracha aici. **Fuair a máthair bás** nuair nach raibh sí ach 12 bhliain d'aois. Mar sin de, bhí uirthi aire a thabhairt do na páistí eile sa teach. Bhí a hathair ina mhúinteoir scoile agus deir sí gur fear **thar a bheith** cliste a bhí ann. Bhí sé ciúin, cineálta fosta. Cosúil léi féin!

Tá mo sheanmháthair measartha beag agus tanaí. Tá a cuid gruaige gairid agus liath **chomh maith**. Caitheann sí spéaclaí nuair a bhíonn sí ag léamh. Tá sí flaithiúil agus foighneach. Chomh maith leis sin tá sí tugtha don ghreann agus is **seanchaí** maith í! Tá Gaeilge líofa aici fosta.

Ba as Doire do mo sheanathair. Pósadh í féin agus a fear agus bhí ceathrar páistí acu – triúr iníonacha agus mac amháin darb ainm Seán – m'athair féin, ar ndóigh! Bhí siad ina gcónaí i gcathair Dhoire, ach tá mo sheanmháthair ina cónaí le mo theaghlach ó fuair mo sheanathair bás.

Bhí mo sheanathair ina fhear poist agus ba bhean tí í mo sheanmháthair. **Cé go bhfuil sí** fíor-chliste, ní raibh mórán seansanna ag mná dul ar scoil nó bheith ag obair **na laethanta sin.**

Réitím go hiontach le mo sheanmháthair. Cuidíonn sí liom leis an obair baile go minic, **go háirithe** leis an Ghaeilge. Sílim go bhfuil sé tábhachtach **caidreamh** maith a bheith agat le do sheantuismitheoirí mar tá **taithí an tsaoil** acu agus bíonn siad **an-chríonna.**

1. Athscríobh, **i mBéarla,** na focail thuas atá faoi chló trom.

   Keep a note of any new words you learned in this passage.

Using the previous passage on Liam's grandmother, answer the questions which follow.

2.   Cuir líne faoi na ceithre abairt atá fíor.

1.   Ba as Doire do sheanmháthair Liam.

2.   Bhí dearthaireacha agus deirfiúracha Úna níos óige ná í.

3.   Is duine ciúin, cineálta í Úna.

4.   Fuair athair Úna bás nuair a bhí sí iontach óg.

5.   Caitheann sí spéaclaí an t-am ar fad.

6.   Is féidir le seanmháthair Liam Gaeilge a labhairt.

7.   Bhí Úna ar ollscoil.

8.   Tá ardmheas ag Liam ar a sheanmháthair.

3.   Freagair na ceisteanna seo a leanas i nGaeilge.

1. Cuir síos ar athair Úna. Déan **dhá** phointe.

2. Cuir síos ar sheanmháthair Liam. Déan trí phointe.

3. Cá mhéad páiste a bhí ag Úna?

4. Cá raibh seantuismitheoirí Liam ina gcónaí?

5. Cén post a bhí ag seanathair Liam?

6. Cad é mar a chuireann Liam síos ar a sheantuismitheoirí ag an deireadh?

Cara Chiara

Bíonn Ciara i dteagmháil lena cara pinn, Nuala, go minic ar Fheidhmchlár. Bhuail siad le chéile den chéad uair cúig bliana ó shin sa Ghaeltacht agus thosaigh siad ag scríobh litreacha nuair a chuaigh siad abhaile. Bhí sí ag dúil go mór le bualadh léi arís mar ní fhaca sí Nuala ó bhí siad sa Ghaeltacht.

D'amharc Ciara thart ar an chaife. De réir a pictiúir, bhí Nuala iontach ard, díreach cosúil léi féin. Bhí a cuid gruaige catach rua agus dúirt sí go mbeadh sí ag caitheamh mála nua a cheannaigh Ciara di dá breithlá. Agus cé gur chuir Ciara féin dath ina cuid gruaige féin cúpla seachtain ó shin, ní raibh cuma iontach difriúil uirthi. Ní fhaca sí Nuala áit ar bith.

Chuardaigh sí don ghuthán póca s'aici. Fuair sí é agus léigh sí an teachtaireacht a fuair sí ó Nuala.

"Buailfidh mé leat ag meán lae taobh istigh de Chaife na nÓg."

Bhí sé ag tarraingt ar 12.30 anois!

D'éirigh sí den chathaoir le dul amach agus Nuala a lorg taobh amuigh agus díreach ansin, tháinig sí isteach, a lámha lán de mhálaí siopadóireachta. D'aithin Ciara í láithreach bonn.

"Cad é mar atá tú?" a scairt Nuala go gealgháireach.

Bhí Ciara iontach sásta. Bhí Nuala chomh cineálta cairdiúil agus mar a shíl sí.

WRITING

A. Can you find the words/phrases above which match the words/phrases below? Write them out, **in Irish.**

In contact with.

She was really looking forward to it.

They knew each other.

Just like herself.

She searched for her mobile phone.

B. Answer, **in English,** the questions which follow.

1. Where did Ciara meet her pen friend?
2. Why was she looking forward to meeting her?
3. Describe Ciara's appearance, making two points.
4. How late was Nuala?
5. Why had she been late?
6. Describe Nuala's personality, making three points.

C. Using the previous passage on Ciara, complete the following exercise.

Roghnaigh focail ón liosta thíos agus líon isteach na bearnaí.

_____ Ciara agus Nuala le chéile roinnt blianta ó shin.

Cheannaigh Ciara _____ do Nuala.

Bhí dath eile ar _____

_____ Ciara an teachtaireacht ar an ghuthán póca.

Bhí _____ ar Chiara.

léigh	mála	caife
bhuail	a cuid gruaige	fearg
áthas	scríobh	níor bhuail

SPEAKING

One of the new friends you met on your Gaeltacht course is going to ring you. You know she wants to talk about your family, some of your other friends and she will want to know what your family says about you.

So that you have all the answers ready, think about how your family describes you. Your Gaeltacht friend will probably ask you about how you get on with all your family members. Make sure you can tell them your date of birth as well as where you were born and where you grew up.

She will want to know who is the oldest/youngest in the family and maybe what some of your family do, if they go to school or what they work at. You should tell your friend your opinions on your family and some of the pastimes you have.

The chat with your friend should only take about 5 or 6 minutes in total.

ADVICE

Comhairle:

- Use the following questions to help you prepare for your conversation in case your friend asks them.
- Use the vocabulary from the reading exercises in this section to help you.
- Try to develop and extend your answers.

Ceisteanna Samplacha:

1. Cad é an t-ainm atá ort?
2. Cén aois thú?
3. Cad é an dáta ar a mbíonn do bhreithlá?
4. Cá bhfuil tú i do chónaí?
5. Cárb as duit? Cén áit ar rugadh agus ar tógadh thú?
6. Cad é an dath atá ar do shúile?
7. Cad é an dath atá ar do chuid gruaige?
8. Cuir síos ort féin.
9. Cén sórt duine thú?
10. Cá mhéad duine atá i do theaghlach?

11. Cá mhéad deirfiúr/deartháir atá agat?
12. Cad é a dhéanann do thuismitheoirí?
13. An réitíonn tú go maith le do theaghlach?
14. Cuir síos ar an chara is fearr atá agat.
15. Cad é an caitheamh aimsire is fearr leat?
16. Cad iad na rudaí a bhfuil suim agat iontu?

You could also prepare for open-ended questions such as:

1. Inis dom fút féin.
2. Inis dom faoi do theaghlach.
3. Cuir síos ar dhuine a bhfuil meas mór agat air / uirthi.
4. Cuir síos ar an chara is fearr atá agat.

WRITING

Your friend in the Gaeltacht has been asked by their teacher to tell their class all about you. Write a letter to your new friend telling them all about yourself.

You could make it like a plan with headings and then write out all the notes your friend will need to give to the class. Inform your friend's class of where you were born and in what town you grew up in. Tell them what you like/liked about where you live/lived and say what is/was good and bad about it. You night mention if you intend to stay or move away from where you live now.

Talk about your family as well, say if you have brothers and sisters, what sort of people they are and how you get on together. Let the class know if they are at school, if they are students or if they are working. Tell the class about your parents and what they do for a living. Say if they like or dislike their jobs and why. You could say if you are going to follow in their footsteps or not.

When you have prepared your notes or plan to write this letter, time yourself and see how much you can write in one hour. You should try to write up to 300 words if you can.

ADVICE

Comhairle:

- Remember to use as much *saibhreas* as you can
- Be careful when you are describing someone else – use the possessive pronouns
- Try to develop your answers
- Use a variety of structures

Revision Work – Ag dul siar

This section will help you revise the days, months and numbers in Irish.

Na Laethanta

Match the Irish to the English. Then write them out in Irish, in order, in your notebook.

1.	An Mháirt	a)	Monday
2.	An Domhnach	b)	Tuesday
3.	An Luan	c)	Wednesday
4.	An Chéadaoin	d)	Thursday
5.	An Aoine	e)	Friday
6.	An Déardaoin	f)	Saturday
7.	An Satharn	g)	Sunday

Na míonna

The months of the year are in order below. Complete them, using a dictionary to help you.

Ea----

Fe----

Má---

Aib----

Beal-----

Meith----

I---

Lú----

Me-- F-----

Deir---- F------

Sa-----

Nol----

Learn how to pronounce the months above. Record them on to an MP3 player to help you.

Matching Exercise

Meaitseáil an dáta leis an abairt cheart - Match the date with the correct sentence.

1.	10/08/97	a)	An chéad lá de mhí Mhárta, míle naoi gcéad nócha a naoi
2.	31/12/02	b)	An fichiú lá de mhí Mheithimh, míle naoi gcéad seachtó a seacht
3.	1/3/99	c)	An dara lá de mhí na Samhna, dhá mhíle
4.	14/8/94	d)	An t-ochtú lá is fiche de mhí Mheán Fómhair, bliain dhá mhíle
5.	28/9/2000	e)	An t-aonú lá is tríocha de mhí na Nollaig, dhá mhíle a dó
6.	9/5/89	f)	An naoú lá de mhí na Bealtaine, míle naoi gcéad ochtó a naoi
7.	2/11/05	g)	An deichiú lá de mhí Lúnasa, míle naoi gcéad nócha a seacht
8.	20/6/77	h)	An ceathrú lá déag de mhí Lúnasa, míle naoi gcéad nócha a ceathair

Context 1
The Individual

1B: Your Local Environment – Where You Live

By the end of this unit, you will be able to understand vocabulary relating to Your Local Environment and you will be able to produce a piece of work in speech and in writing on this topic.

In this unit you will learn about;

- Common Irish place names
- Your house
- Directions
- Features of the town and country
- Advantages and disadvantages

You will also learn grammar relating to:

- Prepositions
- Comparative adjectives
- Comparing and giving opinions

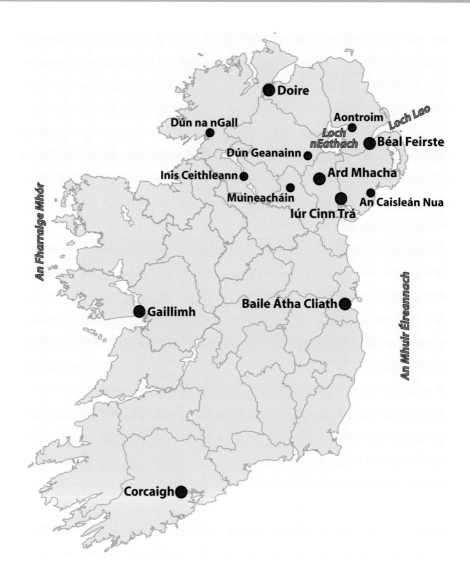

Cultúr - Logainmneacha

- 90% of Irish place names get their names from a significant geographical feature of that place, e.g.

    Cill – a church yard / graveyard e.g. Cill Chaoil

    Lios – ring-fort e.g. Lios na Scéithe

    Baile – a town e.g. An Baile Meánach

- Others have surnames or various saints' names in them, e.g.

    Dún Pádraig – St. Patrick's Fort

    Carraig Fhearghais – Fergus' Rock

- Make a list of other place names that have the words above in them.

- On the internet, find out the meaning of your own village or town.

Cá bhfuil tú i do chónaí?

The following people describe their area.

Is mise Ciarán. Tá mé i mo chónaí i gCaisleán Ruairí. Is sráidbhaile é i nDeisceart Chontae an Dúin. Tá sé suite cois farraige agus tá thart faoi dhá mhíle go leith duine ina gcónaí ann. Tá an radharc tíre galánta sa cheantar seo. Tá Páirc Chill Bhrónaí, Gleann na Sí agus Sléibhte na Beanna Boirche le feiceáil sa cheantar.

Is mise Gráinne. Tá mé i mo chónaí i Machaire Ratha. Rugadh agus tógadh anseo mé. Is baile measartha mór suite i nDeisceart Chontae Dhoire. Tá beagnach ceithre mhíle duine ina gcónaí ann. Tá sé suite ar an bhealach idir Béal Feirste agus Doire. Tá óstán mór sa lár agus bíonn dioscó ansin ag an deireadh seachtaine. Tá club óige do dhaoine óga ann.

Is mise Breandán. Tá mé i mo chónaí in Inis Ceithleann. Tá thart faoi chúig mhíle déag duine ina gcónaí ann. Is baile mór é suite ar Loch Éirne. Tá a lán áiseanna sa cheantar do dhaoine óga. Is féidir leat spóirt uisce a dhéanamh, sciáil uisce nó seoltóireacht. Tá lárionad siopadóireachta ann agus neart siopaí beaga fosta.

Can you find the Irish version of the following words in the text above?

around	**about**	**almost**
on the way	**between**	**facilities**

Léigh na habairtí seo a leanas. Cuir líne faoi na **ceithre** ráiteas atá fíor.

1. Tá Ciarán ina chónaí in aice leis an fharraige.
2. Tá níos mó ná dhá mhíle duine ina gcónaí ann.
3. Níl sléibhte in aice le Caisleán Ruairí.
4. Rugadh Gráinne i mBéal Feirste.
5. Níl Machaire Ratha mór.
6. Tá níos lú na ceithre mhíle duine ina gcónaí i Machaire Ratha.
7. Tá Breandán ina chónaí i gContae Fhear Manach.
8. Is féidir leat dul ag siopadóireacht in Inis Ceithleann.

Write a short paragraph about your area.

A. Use the following questions to help you put together some information about your area. You can also use the previous sections to help you.

1. Cá bhfuil tú i do chónaí?
2. An bhfuil tú i do chónaí faoin tuath nó sa bhaile mhór?
3. Cá mhéad duine atá ina chónaí ansin?
4. Cad é atá le feiceáil i do cheantar féin? Luaigh 3 rud.
5. An maith leat do cheantar féin? Cad chuige?

An Teach s'agam

Look at the grammar section on prepositions to help you with this question.

You listen to the following people describing where they live; Áine, Séamas, Caitríona and Róisín. For each of the four people answer the following questions in English. Give as much information as you can.

1. What kind of house is it?
2. Where is the house situated?
3. How many rooms?
4. Is there a garden?
5. Is there a garage?
6. What can be seen from the house? (3 things)
7. Does he / she like the house? Why?

Ask your classmate the following questions.

1. Cá bhfuil tú i do chónaí?
2. Cá bhfuil do theach suite?
3. Cén sort tí atá agat?
4. Cá bhfuil an teach suite?
5. Cá mhéad seomra atá i do theach?
6. An bhfuil do sheomra leapa féin agat?
7. An bhfuil gairdín nó garáiste agat?
8. An maith leat do theach? Cad chuige?

Saibhreas

Tá dúil agam i mo theach	– Is maith liom mo theach
Tá dúil mhór agam i mo theach	– Is breá liom mo theach
Níl dúil agam i mo theach	– Ní maith liom mo theach
Níl dúil dá laghad agam i mo theach	– Is fuath liom mo theach

Mo Theach Nua

LISTENING

Aisling talks about herself and her new house. Read the sentences below and underline the four sentences which are true.

(a) Aisling lives in a one-storey house.

(b) The house is situated in the country.

(c) Aisling has her own bedroom.

(d) Her bedroom is upstairs.

(e) Her bedroom is very tidy.

(f) Aisling has a computer in her room.

(g) There is a garden at the back of the house.

(h) Aisling doesn't like her house.

Treonna / Directions

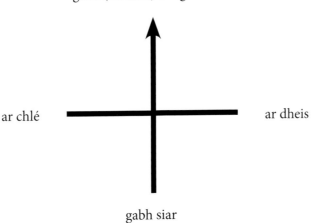

LISTENING

Listen to the following people giving directions. Answer the questions that follow.

1. Where is this person going?

2. Where is this place situated?

3. What is beside the town hall?

4. In which direction is the person asked to turn?

5. Where is this person going?

6. Give details of how to get there.

7. Where is the hospital situated?

8. Give details of how to get there.

9. How far away is the hospital?

An Baile s'agam

READING

Cuireann Áine síos ar an bhaile s'aici.

Is mise Áine agus tá mé i mo chónaí ar an Chéideadh. Tá sí mór go leor mar tá trí mhíle go leith duine ina gcónaí anseo. Tá an baile suite ocht míle taobh amuigh de chathair Ard Mhacha ar an bhealach go Muineachán. Tá Ionad Cultúir agus caife ann. I lár an bhaile tá banc, siopa troscáin agus ollmhargadh ann fosta.

Tá club camógaíochta againn agus tá páirc imeartha taobh amuigh den bhaile. Is maith liom bheith ag imirt gach Domhnach.

Ba mhaith liom pictiúrlann nó caife idirlíon a fheiceáil ar an Chéideadh. Tá loch mór cóngarach dom. Téim ag iascaireacht gach seachtain. Tá dúil mhór agam i mo bhaile féin.

Answer the questions which follow.

1. Cá mhéad duine atá ina gcónaí i gCéideadh?

    (i) Tá 3,000 duine ina gcónaí ann.

    (ii) Tá idir 2,000 – 3,000 duine ina gcónaí ann.

    (iii) Tá níos mó ná 3,000 duine ina gcónaí ann.

2. Cá bhfuil an Céideadh suite?

    (i) Tá sé suite in aice le hArd Mhacha.

    (ii) Tá sé suite taobh amuigh de Mhuineacháin.

    (iii) Tá sé suite i gContae an Dúin.

3. Cad é atá i lár an bhaile?

4. Cá bhfuil an pháirc peile suite?

    (i) Tá sí suite i lár an bhaile.

    (ii) Tá sí suite ar imeall an bhaile.

    (iii) Tá sí suite in aice le scoil.

5. Cad é atá de dhíth i gCéideadh, dar le hÁine?

6. An maith le hÁine a baile féin?

    (i) Ní maith léi Céideadh.

    (ii) Is cuma léi Céideadh.

    (iii) Is maith léi Céideadh.

Saol na Cathrach

Léigh an sliocht thíos agus freagair na ceisteanna.

Is mise Clíodhna agus tá mé i mo chónaí i mBéal Feirste Thuaidh. Tá neart buntáiste ag baint le bheith i do chónaí i gcathair mhór. Tá a lán rudaí le déanamh anseo. Is féidir leat dul ag siopadóireacht, dul chuig an phictiúrlann nó dul chuig an amharclann. Bíonn na deiseanna fostaíochta níos fearr sa chathair agus chomh maith leis sin tá na háiseanna do dhaoine óga go maith sa chathair. Tá neart spóirt agus clubanna óige ann, agus is féidir liom dul áit ar bith go furasta mar tá na seirbhísí poiblí ar dóigh.

Ach ar an láimh eile, tá roinnt míbhuntáiste ag baint leis an chathair fosta. Tá neart fadhbanna ann - fadhb an bhruscair agus fadhbanna sóisialta mar shampla. Bíonn toit agus truailliú ann agus tig leis bheith ró-challánach. Bíonn brú tráchta ann go minic agus bíonn sé i bhfad ró-ghnóthach in amanna. Cé go bhfuil a lán daoine ina gcónaí ann, ní bhíonn aithne ag daoine ar a chéile.

Is maith liom Béal Feirste ach ba mhaith liom bheith i mo chónaí faoin tuath mar tá sé suaimhneach ciúin ansin.

Can you find the Irish version of the following words in the text above?

| **employment opportunities** | **on the other hand** | **as well as that** |
| **far too busy** | **although** | |

Write them out.

	Abairtí	Fíor	Bréagach	Níl an t-eolas ann?
a)	Tá Clíodhna ina cónaí i gcathair mhór.			
b)	Tá na háiseanna go maith do gach duine sa chathair.			
c)	Tá post ag Clíodhna.			
d)	Ní bhíonn a lán carranna sa chathair.			

WRITING

A. With your friend, make a list of the advantages (buntáistí) of living in the city, according to the article.

> *Mar shampla:*
>
> *Tá a lán rudaí le déanamh anseo*   -   *There are a lot of things to do here.*

PAIR WORK

B. Le do chara, déan liosta de **na míbhuntáistí** a luann Clíodhna san alt thuas. Cuir Béarla orthu.

Saol na Tuaithe

READING

Léigh agus críochnaigh na ceachtanna seo thíos.

Is mise Cathal agus tá mé i mo chónaí faoin tuath. Tá a lán buntáistí ag baint leis. Tá sé deas ciúin agus tá an radharc galánta. Bíonn aithne agat ar do chomharsana agus tugann an pobal aire mhaith dá chéile. Tá sé níos sláintiúla agus níos sábháilte. Is féidir leat dul a shiúil nó iascaireacht a dhéanamh agus rudaí mar sin.

Ach ag an am céanna, tá míbhuntáistí ag baint leis an tuath fosta. Tá mé i mo chónaí i bhfad ó na siopaí. Tá sé iargúlta agus ní bhíonn na seirbhísí poiblí go maith. Tá páirc súgartha do pháistí ann ach tá easpa áiseanna do dhaoine óga agus ní bhíonn rud ar bith le déanamh ann. Bíonn sé leadránach. Is féidir leis bheith uaigneach ó am go ham fosta.

Ach sin ráite, níor mhaith liom bheith i mo chónaí áit ar bith eile. Is é an rud is fearr liom faoin tuath ná an radharc.

SPEAKING

Gaoth an fhocail.

Practise reading the article above out loud with a partner. Try to get a general understanding at first. Then pick out key words using your notes and/or dictionary.

Saibhreas

...agus rudaí mar sin	–	and things like that
Ag an am céanna	–	at the same time
Ach sin ráite	–	but in saying that
Is é an rud is fearr liom, ná ...	–	the thing I prefer most is ...

Líon isteach na bearnaí ag baint úsáide as na frásaí sa bhosca thíos.

1. Tá an tuath _____.
2. Tugann _____ aire mhaith dá chéile.
3. Níl an tuath _____.
4. Tá a lán _____ ar fáil faoin tuath.
5. Níl Cathal ina chónaí in aice le _____.
6. Bíonn sé _____ bus a fháil faoin tuath.
7. Níl _____ le déanamh do dhaoine óga.
8. Bíonn _____ ar Chathal in amanna.

suaimhneach	deacair	caitheamh aimsire
siopaí	uaigneas	a lán
daoine	contúirteach	

You have partnered up with someone in your class who lives in the country. You live in the city. You both have to make a presentation about the place you live in. Prepare a presentation describing your house and local environment.

In your presentation you should say what things there are in the area for young people to do. Say whether or not there are enough things for young people and what you think of what is available. Make some suggestions for ways of improving the area.

When you finish, ask two people in your class to ask you a question about something you said in your presentation. The presentation and questions should only take about 5 or 6 minutes in total.

Comhairle:

- Use the vocabulary from the reading exercises in this section to help you.
- Try to develop and extend your answer.
- Use the following sentences to help you with the task above.

Pointí Samplacha:

1. Seo an áit a bhfuil mé i mo chónaí.
2. Tá mé i mo chónaí sa chathair.

3.   Seo rudaí atá le feiceáil i mo cheantar féin.

4.   Seo liosta do na háiseanna do dhaoine óga i mo cheantar féin.

5.   Tá na háiseanna do dhaoine fásta go maith i mo cheantar féin.

6.   Seo an rud is fearr liom faoi mo cheantar féin.

7.   Seo na buntáistí a bhaineann le mo cheantar féin.

8.   Taobh amuigh do na buntáistí seo na míbhuntáistí a bhaineann le mo cheantar féin.

9.   Is maith liom bheith i mo chónaí faoin tuath, seo cad chuige.

10. Níor mhaith liom bheith i mo chónaí áit ar bith eile agus seo cad chuige.

Task type: Informative Writing

You have been asked to write an article for a magazine about your native area as part of the heritage week. In your article inform the readers about the general description of your area. Tell them how many people live in the area and what facilities there are for young people and adults.

You should mention some of the advantages and disadvantages of the area. Look at the area as a whole and give your opinion on how it is to live there. Maybe you could offer some suggestions on how to improve the area.

When you have prepared your notes or plan to write this article, time yourself and see how much you can write in one hour. You should try to write up to 300 words if you can.

Déan comparáid idir an tuath agus an baile mór.

Críochnaigh an tábla seo a leanas le cuidiú leat leis an cheist thuas.

Use the reading exercises and the grammar notes in this section to help you. Some examples are done for you.

Faoin Tuath

An Baile Mór

Tá sé ciúin.

Tá sé glan.

Níl córas iompair phoiblí maith.

...

Tá sé callánach.

Tá a lán áiseanna do dhaoine óga agus do dhaoine fásta ann.

...

Context 1
The Individual
1C: Daily Routine and Leisure Activities

By the end of this unit, you will be able to understand vocabulary relating to Daily Routine and Leisure Activities and you will be able to produce a piece of work in speech and in writing on this topic.

In this unit you will;

- Learn about daily routines
- Learn about weekend activities
- Discuss various leisure activities
- Learn about Gaelic games

You will also explore grammar relating to:

- The past tense
- The present tense
- The future tense
- Regular and irregular verbs
- Adverbs of time

An Deireadh Seachtaine

READING

Sinéad and Ciarán discuss their weekend. Read what they have to say about it and answer the questions that follow.

Here are a few words to help you understand the conversation:

Gluais:

Chuaigh mé	I went	**Chonaic mé**	I saw
Darbh ainm	by the name of / called	**Caithfidh mé**	I must
		Bhain mé an-sult as.	I really enjoyed it.
Scannán greannmhar	A funny film		
Ag gáire	Laughing	**An ndearna tú …**	Did you do …
Ceolchoirm	Concert	**Ar fheabhas**	Brilliant
Lán go doras	Full	**Ag bualadh bois**	Applauding
Ar feadh tamaill	For a while	**Bhí brón orm**	I was sorry
Faoi choinne béile	For a meal	**Mo theaghlach**	My family

Sinéad and Ciarán discuss their weekend.

Sinéad: Cad é a rinne tú ag an deireadh seachtaine, a Chiaráin?

Ciarán: Chuaigh mé go dtí an phictiúrlann oíche Dé hAoine le mo dheartháir.

Sinéad: Agus cad é a chonaic tú?

Ciarán: Chonaic mé scannán darbh ainm Anseo agus Ansiúd. Caithfidh mé a rá go raibh sé iontach maith.

Sinéad: Cén sórt scannáin a bhí ann?

Ciarán: Scannán greannmhar do dhéagóirí a bhí ann. Bhain mé an-sult as. Bhí muid ag gáire an t-am ar fad! An ndearna tú féin rud ar bith speisialta ag an deireadh seachtaine, a Shinéad?

Sinéad: Bhuel, oíche Dé hAoine lig mé mo scíth mar bhí tuirse an domhain orm. Ach oíche Dé Sathairn chuaigh mé chuig ceolchoirm i mBéal Feirste le mo chara Caitríona.

Ciarán: Agus cad é mar a bhí an ceolchoirm?

Sinéad: Ó bhí sé ar fheabhas ar fad. Bhí sé lán go doras agus bhí gach duine ag ceol agus ag bualadh bois leis an ghrúpa. Cheol siad ar feadh tamaill fhada. Bhí brón orm nuair a bhí sé thart. Ar an Domhnach chuaigh mé amach faoi choinne béile le mo theaghlach.

Ciarán: Bhí deireadh seachtaine maith agat mar sin de!

Sinéad: Bhí cinnte!

Read the following statements and underline 4 sentences that are true.

a) Chuaigh Ciarán go dtí an phictiúrlann lena dheirfiúr.

b) Thaitin an scannán le Ciarán.

c) Bhí eagla ar Chiarán sa phictiúrlann.

d) Scannán do dhaoine óga a bhí ann.

e) Bhí tuirse ar Shinéad Dé hAoine.

f) Níor bhain Sinéad sult as an cheolchoirm.

g) Bhí slua mór ag an cheolchoirm.

h) Chuaigh Sinéad agus Ciarán go dtí an ceolchoirm le chéile.

DICTIONARY

Look up any new words from this conversation in the dictionary and note them in your own book.

Dialann an Lae

LISTENING

A. Tomás talks about his weekend. You will hear the recording twice. Answer, in English, the questions which follow.

1. How is Tomás feeling? Why?

2. Who did he go with?

3. At what time did it start?

4. At what time did it finish?

B. Áine talks about her weekend. Answer in English the questions which follow.

1. What did Áine do at 8.00?

2. What did she do after she ate breakfast?

3. Where did she go and who was with her?

4. What did Áine do at 2.00?

An Deireadh Seachtaine

LISTENING

A. Listen to the following people talking about how they spent their weekend. You will hear each person speak twice. Copy the table below.

Match the pictures to the names to fill in column A.

Write the answers to B in English.

Before you start make sure you know the Irish for each of the activities below. Make a small group and find out how you would say each of the following phrases before you listen to the people talking.

	A What did he/she do?	B Who else was there?	C When?
a) Clíodhna	5	brother	
b) Fionn			
c) Seán			
d) Niall			
e) Orla			
f) Ciara			
g) Sinéad			
h) Caitríona			
i) Sorcha			
j) Cillian			

B. After you have corrected the exercise, listen to it again. Study adverbs of time using the grammar section of the book to help you fill in column C in English.

Léigh agus freagair na ceisteanna.

Revise question words to help you.

Maidin Chiaráin

Mhúscail mé ar a seacht a chlog ar maidin ach bhí tuirse orm agus níor éirigh mé go dtí leath i ndiaidh a seacht.

Chuaigh mé isteach sa seomra folctha agus nigh mé mé féin. Ansin, chuir mé orm mo chuid éadaigh sa seomra leapa agus scuab mé mo chuid gruaige.

Scairt mo mháthair orm ansin agus chuaigh mé go dtí an chistin. D'ith mé bricfeasta, tae agus arán rósta, agus chuaigh mé ar ais chuig an seomra folctha agus scuab mé mo chuid fiacla.

Fuair mé síob le m'athair chun na scoile mar bhí an aimsir go holc. Bhain mé an scoil amach deich mbomaite roimh a naoi a chlog. Bhuail mé le mo chairde agus bhí mé ag caint le mo chairde ar feadh tamaill. Rinne mé rud beag obair baile agus chuaigh mé go dtí an chéad rang.

Answer the following questions.

a)   D'éirigh Ciarán ar

      (i) 7.00   (ii) 7.30   (iii) 7.15

b)   Bhí _____ ar Chiarán

     (i)   **(ii)**   **(iii)**

c) Nigh Ciarán é féin sa

(i) 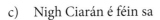 (ii) (iii)

 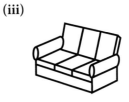

d) Cé a scairt ar Chiarán?

(i) (ii) (iii)

e) Cad é a d'ith sé don bhricfeasta?

(i) (ii) (iii)

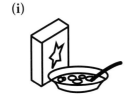 

f) Cad é mar a chuaigh Ciarán chun na scoile?

(i) (ii) (iii)

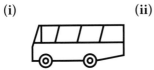 

g) Cén t-am ar bhain sé an scoil amach?

(i) 9.00   (ii) 9.10   (iii) 8.50

h) Cad é a rinne Ciarán roimh an chéad rang?

1 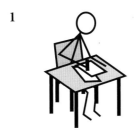 2  3

4  5  6

Dialann an Lae

LISTENING

Listen to Eilís talking about her daily routine. You will hear each statement twice.

List the pictures below in the order in which you hear them.

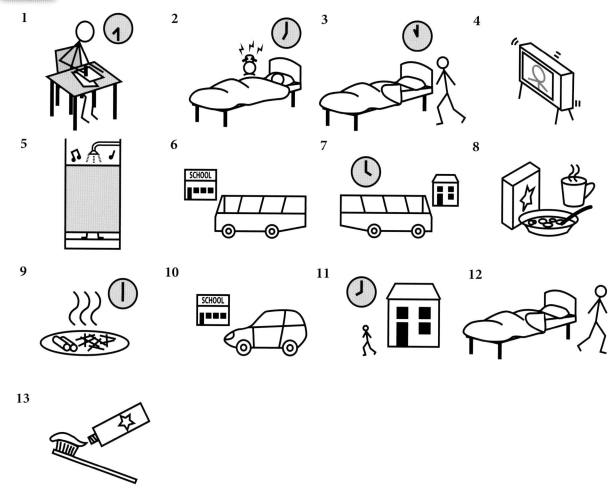

You can extent this exercise by listening to Rónán and Cara talking about their day. In these recordings you will hear the Present Tense and Future Tense used.

SAIBHREAS

Before you move on, ask your teacher if they will help you make a list of as many of the 'Saibhreas' phrases as possible that you have heard so far.

LISTENING

Listen to the voicemail messages. Listen and match the name with the correct picture. There is an example done for you.

Sampla: *Róisín*

youth club

a) Seán **(i)**

b) Dónall **(ii)**

c) Peadar **(iii)**

d) Fionnualá **(iv)**

e) Proinsias **(v)**

f) Oisín **(vi)**

Comhairle

You can use the reading exercises in this chapter to help you with your speaking and writing assessment tasks.

ADVICE

WRITING

The following are sentences based on what you have read in the passage on page 36 (Maidin Chiaráin). Small details have been changed. Try to rewrite them in Irish.

1. I didn't get up until 10.00
2. After that I went into the bathroom.
3. I got a bite of dinner.
4. I walked to school because the weather was good.
5. I arrived at school at 9.
6. I met my teacher.
7. I did a little bit of Irish homework.
8. I went to class.

Léigh an sliocht thíos agus freagair na ceisteanna.

Siopadóireachta Niamh

Here are a few words to help with this exercise:

Gluais:

Lá fuar geimhridh	A cold winter's day	**Iúr Cinn Trá**	Newry
Baile Átha Cliath	Dublin	**Bhí áthas an domhain orainn**	We were really happy
Ar a bhealach	On his way	**turas traenach**	Train journey
Deireadh an lae	The end of the day	**Slabhra**	Chain

Lá fuar geimhridh a bhí ann **ar na mallaibh** nuair a d'fhág mise agus mo chairde Iúr Cinn Trá go luath ar maidin. Bhí muid ag dul ag siopadóireacht i mBaile Átha Cliath agus bhí áthas an domhain orainn.

Thug m'athair **síob** dúinn ar a bhealach ag obair agus fuair muid an chéad traein ar maidin. Thaitin an turas traenach go mór liom – bhí sé iontach gasta agus bhí an chraic ar fheabhas! Nuair a bhain muid Baile Átha Cliath amach shiúil muid go dtí **lár na cathrach** agus isteach linn chuig an chéad siopa. Níor stop muid go dtí deireadh an lae! Cheannaigh mé a lán rudaí deasa – **cumhrán** do bhreithlá mo mhamaí agus slabhra do mo chara don Nollaig. **Chomh maith leis sin** fuair mé sciorta agus t-léine nua don dioscó ag an deireadh seachtaine.

Ar an drochuair, d'fhág mo chara a sparán sa chaife ach **ar an dea-uair**, ní raibh airgead ar bith fágtha ann!

Bhain mé an-sult as an lá. An chéad uair eile tá sé ar intinn orm dul go Doire mar tá clú agus cáil ar na siopaí ansin. Tá mé ag dúil go mór leis!

DICTIONARY

Make a small group and use a dictionary to find the meaning of the words above in **bold text**.

Freagair na ceisteanna a leanas.

    a)   Cad é mar a bhí an aimsir?

    b)   Cá huair a d'fhág siad Iúr Cinn Trá?

    c)   Cén t-am ar chríochnaigh siad ag siopadóireacht?

    d)   Ainmnigh rud amháin a cheannaigh Niamh ar an lá sin.

Líon isteach na bearnaí ag baint úsáide as na frásaí sa bhosca thíos.

    e)   Chuaigh siad go dtí an stáisiún _____

    f)   _____ siad go dtí lár na cathrach.

    g)   Chaill cara Niamh _____

    h)   _____ na siopaí go maith i nDoire.

Sa charr	**Rith**	**Sparán**
Airgead	**Ar an bhus**	**Tá**
Níl	**Shiúil**	

Lá i bPáirc an Chrócaigh

READING

Léigh an sliocht thíos agus freagair na ceisteanna a leanas.

Tarlaíonn cluichí ceannais pheil agus iománaíocht na hÉireann i mí Mheán an Fhómhair gach bliain. Téann na mílte duine go Páirc an Chrócaigh ar an traein, ar an bhus nó sa charr. Spreagann sé daoine chun eitilt abhaile fosta ó áiteanna thar lear. Is é an lá seo an ócáid is mó spóirt sa bhliain in Éirinn.

Fágann daoine an teach go luath ar maidin, cótaí móra, ceapairí agus fleascanna tae ina málaí leo. Tugann na daoine seo aghaidh ar an chluiche mhór agus an chuid eile den chontae ina suí go réidh sa bhaile os comhair na teilifíse.

Bíonn an staid dubh le daoine – bíonn thart faoi ochtó míle duine

sa lucht féachana! Má bhíonn an t-ádh dearg ort ticéad a fháil tógann sé do chroí nuair a fheiceann tú dathanna do chontae féin ar fud na háite.

Go minic bíonn an contae céanna sa chluiche mionúir agus sinsir agus shílfeá nach raibh ach an t-aon chontae amháin sa tír ar fad!

Ach nuair a thagann na foirne sinsearacha amach bíonn an t-atmaisféar ar fheabhas. Le gach cúl agus cúilín, tógtar agus baintear dóchais.

Agus mura mbaineann an fhoireann s'agat féin, ní dhéanfaidh tú dearmad ar chluiche leathcheannais na hÉireann choíche.

a) Roghnaigh an freagra ceart.

   (i)   Bíonn na cluichí seo ar siúl sa Gheimhreadh.

   (ii) Bíonn na cluichí seo ar siúl san Fhómhair.

   (iii) Bíonn na cluichí seo ar siúl san Earrach.

b) Roghnaigh an freagra ceart.

   (i)   Tagann daoine ó Éirinn amháin chuig na cluichí seo.

   (ii) Tagann daoine ó Éirinn agus ó thíortha eile chuig na cluichí seo.

   (iii) Tagann daoine ó thíortha eile chuig na cluichí seo.

c) Roghnaigh an freagra ceart.

   (i)   Freastalaíonn a lán daoine ar na cluichí ceannais.

   (ii) Ní bhíonn a lán daoine ag na cluichí ceannais.

   (iii) Freastalaíonn na mílte duine ar na cluichí ceannais.

d) Roghnaigh an freagra ceart.

   (i)   Bíonn dhá chluiche ar siúl gach lá ceannais.

   (ii) Bíonn cluiche amháin ar siúl gach lá ceannais.

   (iii) Bíonn trí chluiche ar siúl gach lá ceannais.

READING

Copy this table. Read the sentences and tick (✓) one of the three boxes.

	Abairtí	Fíor	Bréagach	Níl an t-eolas ann?
a)	Tagann roinnt daoine go Páirc an Chrócaigh in eitleán.			
b)	Is maith le daoine lón pacáilte a ghlacadh leo.			
c)	Ní féidir leat amharc ar an chluiche ar an teilifís.			
d)	Faigheann gach duine ticéad do na cluichí seo.			

Ag siopadóireacht in Éirinn

Read the following article and answer, **in English**, the questions that follow.

Sa lá atá inniu ann, níl aon amhras ná go síleann cuid mhór daoine gur caitheamh aimsire í an tsiopadóireacht. Nuair a tháinig an lárionad siopadóireachta ar an saol in Éirinn, thug sé seans do dhaoine gach rud a dhéanamh faoi aon díon amháin.

Bíonn rogha fairsing siopaí sna lárionaid seo do gach duine, idir óg agus aosta. Bíonn siad ar oscailt ó dhubh go dubh, i rith na seachtaine agus an deireadh seachtaine ar fad fosta. Is féidir leat dinnéar nó cupán caife a fháil ann, agus is minic a bhíonn pictiúrlann nó rinc scátála iontu fosta.

Ar an drochuair, áfach, tá taobh eile leis an scéal seo. Cuireann na lárionaid siopadóireachta seo isteach go mór ar shiopaí áitiúla agus gnóthaí teaghlaigh, atá ag druidim leo de réir a chéile.

Bíonn lár an bhaile mhóir ciúin suaimhneach mar ní bhíonn líon na ndaoine céanna ann. Chomh maith leis sin, is féidir leat margaidh níos fearr a fháil ó na sreangshiopaí móra. Faoi dheireadh, ar ndóigh, bíonn sé níos teo agus níos compordaí do chuid siopadóireachta uilig a dhéanamh nuair nach gcaithfidh tú dul taobh amuigh.

Cibé rud a shíleann tú, déanann seachtó faoin chéad de dhaoine a gcuid siopadóireachta sna lárionaid seo. Mar sin de, is cinnte go bhfuil na lárionaid le fanacht.

Saibhreas

Sa lá atá inniu ann	–	nowadays
Ar an drochuair	–	unfortunately
Áfach	–	however
Chomh maith leis sin	–	as well as that
Faoi dheireadh	–	finally
Mar sin de	–	therefore

a)   How do many people view shopping as a pastime these days?

b)   What are you told about the birth of the shopping centre in Ireland?

c)   Name three advantages of shopping centres.

d) Give details of the opening hours of shopping centres, according to the article.

e) Aside from local shops, what else have shopping centres had an impact on? Make **two** points.

f) According to the article, what do chain shops offer?

g) Why might people not want to leave the shopping centre?

h) What indicates that shopping centres are doing well?

WRITING

You are writing a letter to your local council about the leisure facilities in your area. You have just spent the past weekend with a friend in their area in which the leisure facilities are great, in your opinion.

Tell the council about your weekend including the facilities you used and the activities you took part in. Compare the facilities in your friend's area to those in your area. Tell the council what you would like to see in your area in a few years. Also tell them why this would improve the area and what it would do for young and older people as well.

When you have prepared your notes or plan to write this letter, time yourself and see how much you can write in one hour. You should try to write up to 300 words if you can.

ADVICE

Comhairle:

- Ensure your verbs and tenses are accurate.
- Try to use verbs both in a positive and negative way.
- Add in some *saibhreas* phrases from the reading and listening exercises.
- Complete the following exercise to help you.

SAIBHREAS

READING

WRITING

An Deireadh Seachtaine

Líon isteach na bearnaí leis an bhriathar / leis an fhocal cheart.

A) Bhí áthas an domhain orm dé hAoine seo caite ar leath i ndiaidh a trí. Bhí mé saor don deireadh seachtaine! _____ abhaile ar an bhus agus _____ tamall ansin ag amharc ar an teilifís. D'ith mé _____ agus iasc don tae agus _____ iontach blasta. Nuair a

_____ na soithí ⬭🥛 _____ amach chuig an _____ le mo chairde. _____ scannán maith agus _____ abhaile go mall.

B) Dé Sathairn níor _____ go dtí a deich a chlog, agus _____ ansin.

_____ an raidió tamall agus _____ greim bhricfeasta. Bhí cithfholcadh ⌐/|||\ agam, _____ mo chuid éadaigh agus _____ amach le mo chairde. _____ muid chluiche peile. Ina dhiaidh sin, _____ abhaile don dinnéar thart faoi _____ a chlog.

C) Dé Domhnaigh _____ ar Aifreann a haon déag le mo theaghlach.

Bhí _____ mór againn ansin. D'amharc mé ar _____ , agus ansin _____ m'obair bhaile. Ar a sé a chlog, _____ mo chuid tae agus _____

chuig teach mo charad. Chaith mé tamall ag _____ ansin agus thit mé i mo

chodladh.

You have been away for the weekend attending your favourite sporting event or a concert. When you return to school on Monday you have to give a report in the form of a presentation to your teacher and classmates.

Tell the class about the event you attended and why you went. Let them know if you enjoyed it or not and why. Let them know who you went with and how the journey was. Just in case they might want to go to this event sometime in the future tell them how much it cost and what you got for your money. Keep your presentation short – about 2 minutes or slightly less.

When you have finished you should spend a couple of minutes answering a couple of questions from the class on your presentation. A minute or two is enough. Ádh mór ort!

Some of the questions coming from the class may include the questions below.

Cad é an rud is mó a thaitin leat?

Ar tharla rud ar bith suimiúil?

Cad chuige nach ndéanfaidh tú dearmad ar an ócáid sin?

Cuir síos ar an áit ina raibh an ócáid spóirt / ceoil.

Comhairle:

- Use the vocabulary from the reading exercises in this section to help you.
- Use a variety of structures and vocabulary.
- Use saibhreas phrases.
- Use information from other units in this book to help you with the task above.

Vocabulary list – Daily activities and leisure

Pictiúrlann	cinema
Déagóirí	teenagers
Ag gáire	laughing
Lig mé mo scíth	I relaxed
Ceolchoirm	concert
Lán go doras	full to the door
Ag bualadh bois	clapping
Ar feadh tamaill fhada	for a long time
Faoi choinne béile	for a meal
Mar sin de	therefore
Le chéile	together
Greim bricfeasta	a bite of breakfast
Roimh	before
Ar na mallaibh	recently
Síob	a lift
Lár na cathrach	the city centre
Cumhrán	perfume
Chomh maith leis sin	as well as that
Ar an drochuair	unfortunately
Ar an dea-uair	fortunately
Clú agus cáil	famous
Cluiche ceannais	final
Cluiche leathcheannais	semi-final
Spreag	encourage
Thar lear / thar sáile	abroad
Ócáid	occasion
Mionúr	minor
Sinsear	senior
Foireann	team
Choíche	ever
Amhras	doubt
Díon	roof
Rogha fairsing	a wide choice
Lárionad siopadóireachta	shopping centre
Margadh	bargain / market
Sreangshiopa	chain stores
Ar ndóigh	of course

Context 1
The Individual
1D: Health and Lifestyle

By the end of this unit, you will be able to understand vocabulary relating to a healthy lifestyle and you will be able to produce a piece in speech and writing on this topic. The main areas covered will be:

- Food types
- Pastimes
- Healthy lifestyles
- Health problems
- Sport
- Feelings and emotions

You will also learn grammar relating to:

- The verb Bí with prepositions
- Prefixes
- The imperative tense

Cad é do bharúil?

SPEAKING

PAIR WORK

1A. What sort of food do you prefer? Look at the pictures below and give your opinion on the kind of foods shown.

Sampla: Is maith liom arán rósta.

SAIBHREAS

1B. Try using the following phrases to give your opinion of the foods above.

Before starting this exercise look in the grammar section, find the information on 'Prepositions' and look at 'I' = in.

Níl dúil dá laghad agam ann ☹☹

Níl dúil agam ☹

Tá dúil agam ☺

Tá dúil mhór agam ann ☺☺

Tá mo chroí istigh ann ♥

WRITING

1C. Create two columns, one labelled "Sláintiúil" and the other "Míshláintiúil". Put the food pictured above into one of the two columns.

2. With a partner, try to remember as many pastimes as you can think of in Irish. Make a list of them; use a dictionary if you need help to spell the words.

Now, taking turns, give your opinion of a variety of pastimes using the phrases from the table above or *Is maith liom / Ní maith liom*.

3. You listen to the following people talking about their favourite pastimes. Match the name with the correct picture.

a) Ciarán   e) Cathal

b) Nuala   f) Cara

c) Fionn   g) Seán

d) Sinéad   h) Cliodhna

1  **2** 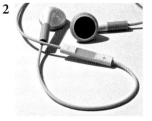 **3**  **4**

5  **6**  **7**  **8**

Listen to the following people ordering in a restaurant. Copy and complete the table below.

	Bricfeasta	Lón	Dinnéar	Tae
A				
B				
C				

Bia sláintiúil duit féin agus don saol

Meaitseáil na focail leis na pictiúir.

Glasraí agus torthaí.

Táirgí déiríochta; bainne, cáis agus iógart.

Arán, prátaí, rís agus pasta.

Saill agus ola; im, uachtar agus margairín.

Deochanna - Uisce, uisce agus tuilleadh uisce!

Feoil, uibheacha, iasc.

In a restaurant you look at the following menu.

Óstán Dhún Geanainn

Biachlár an Lae: €15

An Chéad chúrsa
Anraith glasraí
Beacáin ghairleoige
Sailéad sicín

***

Príomhchúrsa
Turcaí agus muiceoil rósta
Stéig
Iasc an lae
Pasta le glasraí rósta, cáis agus anlann trátaí speisialta.

***

Ar an taobh: prátaí rósta / sceallóga / prátaí gairleoige / arán
gairleoige / glasraí úra / sailéad

***

Milseog
Císte seacláide
Uachtar reoite
Císte cáise
Torthaí úra

Tae nó caife

Answer the following questions **in English**.

a) Name one starter suitable for vegetarians.

b) What meat option is on the starter menu?

c) What can vegetarians have for the main meal? Make two points.

d) Name one more item available for the main course.

e) What types of potatoes can you have as a side order?

f) Name one healthy option for a side order.

g) What two types of cake are on the menu?

h) What else could you have for dessert?

Saol sláintiúil sa Ghaeltacht

Léigh an ríomhphost seo agus freagair na ceisteanna.

A Mhamaí dhil,

Seo mé sa Ghaeltacht! Tá an cúrsa ar fheabhas. Chuaigh muid go dtí an trá inné agus bhí picnic againn – d'ith muid ceapairí agus d'ól muid uisce agus subh oráiste fosta. Ina dhiaidh sin, d'imir muid eitpheil agus bhí muid ag snámh. Bhí cluiche peile idir na múinteoirí agus na scoláirí fosta – ach bhain na scoláirí ar ndóigh!

Tá an teach iontach deas agus tugann bean an tí bia galánta dúinn. Ag an deireadh seachtaine, mar shampla, bhí píotsa agus sceallóga againn. Faighimid arán lámhdhéanta gach maidin agus a lán tae! Thug sí dinnéar mór dúinn ar an Domhnach – feoil agus glasraí, agus prátaí de gach sórt! Bhí an mhilseog an-bhlasta ar fad – bhí rogha againn, idir císte agus toirtín úll. Agus uachtar reoite fosta!

Is maith an rud go siúlaimid dhá mhíle chuig an choláiste gach lá!

Imrímid cispheil ag an choláiste go minic agus is breá liom í. Anocht beidh ceolchoirm sa choláiste agus beidh grúpa áitiúil ag seinm. Ach is fearr liom na céilithe mar is breá liom bheith ag damhsa!

Feicfidh mé an tseachtain seo chugainn thú,

Le grá,

Caoimhe

Saibhreas

Lámhdhéanta	home-made/handmade
Tá mé ag dúil go mór leis.	I'm really looking forward to it.

Freagair na ceisteanna a leanas.

a) Cé a scríobh an ríomhphost seo?
  (i) Mamaí
  (ii) Caoimhe
  (iii) Sinéad

b) Cad é a d'ith sí ar an trá?
  (i) D'ith sí oráiste agus d'ól sí cupán tae.
  (ii) Bhí ceapairí agus deochanna acu.
  (iii) Níor ith sí rud ar bith.

c) Cá mhéad spórt a bhí ar siúl ar an trá?
  (i) Bhí an snámh amháin ar fáil.
  (ii) Bhí trí spórt ar fáil.
  (iii) Bhí ceithre spórt ar fáil.

d) An maith le Caoimhe an teach?

      (i)   Níl dúil ag Caoimhe sa teach ach is maith léi an bia.

      (ii) Tá dúil ag Caoimhe sa teach agus sa bhia.

      (iii) Tá dúil ag Caoimhe sa teach ach ní maith léi an bia.

Léigh na habairtí thíos agus cuir líne faoi **cheithre** abairt atá fíor.

    a) Tugann bean an tí cupán tae dóibh gach lá.

    b) Tá dúil mhór ag Caoimhe sa damhsa.

    c) Bhí ceolchoirm sa choláiste aréir.

    d) Níl bean an tí go maith ag cócaireacht.

    e) Déanann bean an tí arán úr gach lá.

    f) Níor bhain na múinteoirí an cluiche peile.

    g) Fuair na scoláirí píotsa agus sceallóga ar an Domhnach.

    h) Siúlann Caoimhe go dtí an coláiste gach lá.

Cad é atá ort? - Cad é atá cearr leat?

Listen to these people talking about how they feel. Look at the illustrations below and write out the number of each picture, in the order you hear them.

LISTENING

Sampla: Tá tart orm =

1

2

3

4

5

6

7

8

9

10

11

When you have finished this exercise go to the grammar section and look at examples of how the verb 'Bí' and the preposition 'ar' are used to express feelings and emotions.

The following people went to the nurse feeling unwell. List their problems and the treatment they received. Write your answers **in English.**

> Pádraig
>
> Máire
>
> Ruairí

Read the article below and answer, **in English,** the questions that follow.

Bia na hÉireann

Blianta ó shin, níor ith muintir na hÉireann ach prátaí, feoil éagsúla, glasraí agus rudaí mar sin. Fuair muid glasraí ón ghairdín nó ó fheirmeoirí agus rinne muid an bháicéireacht sa bhaile. Is breá le cuairteoirí an stobhach Gaelach a thriail go háirithe. Tá uaineoil, glasraí agus prátaí de dhíth leis an phláta sin a dhéanamh.

Bhí dúil ag muintir na hÉireann i gcónaí sa tae fosta. De ghnáth, cuirtear an cheist sin nuair a thagann duine ar cuairt – Ar mhaith leat cupán tae? Tá a lán cineálacha arán againn fosta – gabh isteach sa bhácús áitiúil agus feicfidh tú sin!

Chomh maith leis sin, tá dúil ag muintir na hÉireann san iasc fosta. Bradán, breac, scadán, tuinnín, gliomach, portán, diúilicín – bíonn iasc agus bia eile na mara le feiceáil go minic ar bhiachláir ar fud na hÉireann, go háirithe ar an chósta ar ndóigh.

Ach tá athrú mór ar bhia na hÉireann anois. Sa lá atá inniu ann, ithimid rudaí ó thíortha eile, pasta, rís agus núdail mar shampla. Tá gach cineál glasraí agus torthaí ar fáil san ollmhargadh nó sa siopa glasraí anois. Chomh maith leis sin, bíonn mná agus fir na hÉireann ag obair taobh amuigh den teach, agus mar sin de, ceannaítear béilí réamhdhéanta go minic.

Is maith le muintir na hÉireann ceiliúradh a dhéanamh le béile mór. Gach Domhnach, Lá Fhéile Pádraig, Lá Nollag, do bhreithlá nó do bháisteach, tagann an teaghlach le chéile ag dinnéar mór rósta sa bhaile nó i mbialann.

Aimsigh focail san alt thuas atá comhchiallach leis an Bhéarla thíos:

Years ago	**Usually**	**Celebrate**
Irish stew	**Of course**	**A christening**
Irish people	**Nowadays**	**Ready-made meals**

Answer the following questions **in English**.

a) According to the article, from where did the Irish get their food years ago?

b) What three ingredients can be found in Irish stew?

c) What is asked when someone comes to visit?

d) Why does the author advise us to go to the bakery?

e) What else can be found easily on the menu in Irish restaurants?

f) How have Irish eating habits changed over the years? Explain your answer.

g) Why, according to the article, do people often buy ready-made meals nowadays?

h) Name three occasions when the Irish like to celebrate with a big meal.

Mise agus an spórt

READING

Dia duit! Is mise Diarmaid. Sa lá atá inniu ann, sílim go bhfuil sé tábhachtach saol sláintiúil a leanúint. Mar sin de, is maith liom aclaíocht a dhéanamh go rialta.

Is í an pheil Ghaelach an spórt is fearr liom. Bím ag traenáil dhá oíche gach seachtain, agus bíonn cluiche againn beagnach gach deireadh seachtaine i rith an tsamhraidh.

Is maith liom bheith ag rith le mo dheartháir nuair atá an t-am agam. Coinníonn sin aclaí mé.

I rith an gheimhridh, téim ag snámh sa linn snámha. Chomh maith leis sin, tá mé i mo bhall den Ionad Spóirt ar mo bhaile féin. Is maith liom dul ansin nuair atá an aimsir go holc chun an giomnáisiam a úsáid.

Tá traidisiúin láidir spóirt i mo cheantar féin agus tá na háiseanna spóirt ann iontach maith ar fad. Tá cosán reathaíochta, cúrsa gailf, cúirteanna leadóige agus páirceanna imeartha ann, mar shampla.

Is maith liom triail a bhaint as spóirt nua ó am go ham. Tá roinnt mhaith clubanna spóirt cóngarach do mo theach – club rothaíochta, club dornálaíochta agus club rámhaíochta fosta.

Tá a lán buntáistí ag baint leis an spórt. Coinníonn sé sláintiúil agus aclaí thú, ar ndóigh. Tugann sé seans duit bualadh le daoine nua. Tugann sé seans duit bheith taobh amuigh. Tugann sé fuinneamh duit agus cuidíonn sé leat dúshlán a thabhairt duit féin. Tugann sé seans duit faoiseamh a fháil ó bhrú agus ó strus.

Mholfainn go mór é!

Freagair na ceisteanna a leanas.

a. Cad é barúil Dhiarmada ar an tsláinte?
   (i)   Tá Diarmaid buartha faoin tsláinte.
   (ii)   Is cuma le Diarmaid faoin tsláinte.
   (iii)   Síleann Diarmaid nach bhfuil an tsláinte tábhachtach.

b. An imríonn Diarmaid peil Ghaelach go minic?
   (i)   Imríonn Diarmaid peil Ghaelach dhá uair sa tseachtain.
   (ii)   Imríonn Diarmaid peil Ghaelach nuair atá an t-am aige.
   (iii)   Imríonn Diarmaid peil Ghaelach níos mó ná dhá uair sa tseachtain.

c. An mbíonn Diarmaid ag snámh go minic?
   (i)   Bíonn Diarmaid ag snámh sa Samhradh amháin.
   (ii)   Bíonn Diarmaid ag snámh sa Samhradh agus sa Gheimhreadh.
   (iii)   Bíonn Diarmaid ag snámh sa Gheimhreadh amháin.

d. Cad é mar atá na háiseanna spóirt ina cheantar féin?
   (i)   Níl na háiseanna spóirt go maith.
   (ii)   Tá áiseanna spóirt den chéad scoth ann.
   (iii)   Tá na háiseanna spóirt maith go leor.

Léigh na habairtí thíos agus cuir tic (√) sa bhosca cheart.

	Abairtí	Fíor	Bréagach	Níl an t-eolas ann?
a)	Imríonn Diarmaid cluiche peil Ghaelach gach deireadh seachtaine.			
b)	Téann Diarmaid ag rith go minic.			
c)	Is maith le Diarmaid bheith taobh amuigh.			
d)	Tá a lán míbhuntáistí ag baint leis an sport.			

The school nurse comes to talk to your form class about young people and health. You will hear each part twice. The entire passage will then be heard for a third and final time.

LISTENING

Listen and answer the questions **in English**.

1. What is the first piece of advice the nurse gives regarding good health?
2. What **two** things does she advise young people not to eat too much of?
3. How much water does the nurse advise young people to drink?
4. What advice does she give with regards to sleeping? Make **two** points.
5. What else does the nurse say young people should avoid?
6. Why does she advise against smoking?
7. The nurse advises regular exercise. How much does she say?
8. If you do all these things, what, according to the nurses, will you have?

WRITING

Writing exercise: Health and lifestyle

You have been asked to write an article for the school 'Health Promotion Day'. In your article you need to try to persuade people to eat healthily and to avoid unhealthy foods. You should also try to encourage them to exercise more. You can do this by giving some of the advantages gained from a healthy diet and additional exercise. You could also mention the sports facilities your area has.

When you are researching this you could talk to some of your classmates to see how they eat and how much exercise they take. Look at the way your family eats and point out the healthy foods you eat and how they are good for you.

When you have prepared your notes or plan to write this article, time yourself and see how much you can write in one hour. You should try to write up to 300 words if you can.

Saol sláintiúil

READING

Léigh seo agus meaitseáil an Ghaeilge leis an Bhéarla thíos faoi.

Cad é mar is féidir leat saol sláintiúil a fháil?

Tá rud amháin cinnte – is fearr i bhfad bia folláin duit. Tá a fhios ag an saol mór sin.

Más maith leat an saol sláintiúil, tá sé tábhachtach rudaí folláine a ithe agus a ól. Chomh maith, tá bia orgánach go maith don tsláinte. Tá sé tábhachtach aiste bia cothrom a bheith agat. Ith cúig chuid de ghlasraí agus torthaí gach lá. Ól ocht ngloine uisce gach lá.

Ar an láimh eile, tagann drochshláinte ó dhroch-aiste bhia. Níor cheart duit barraíocht a ithe. Ná hith barraíocht saille. Ná cuir salann le do phláta. Ná hith barraíocht feola. Ná hith barraíocht smailceanna.

Tá bia folláin go maith don chorp, go háirithe don chroí. Beidh meáchan sláintiúil agat. 'Gach rud i measarthacht' a deir an seanfhocal, agus tá sin fíor.

Cá bhfuil seo sa téacs?

Meaitseáil an Ghaeilge leis an Bhéarla atá san alt thuas. Tá sampla déanta duit.

Sampla: Drink eight glasses of water per day. = Ól ocht ngloine uisce gach lá.

1. Bad health comes from a bad diet =
2. You will have a healthy weight =
3. Organic food is good for the health =
4. Eat five portions of fruit and vegetables a day =
5. Don't add salt to your plate =
6. Healthy food is good for the heart =
7. Don't eat too many snacks =
8. Healthy food is much better for you =
9. You shouldn't eat too much =
10. It is important to have a balanced diet =

Saibhreas

Ar an láimh eile	on the other hand
Chomh maith	as well
Gach rud i measarthacht	everything in moderation
Droch-aiste bia	a bad diet

Speaking exercise: Health and lifestyle

Your teacher has agreed to be interviewed by you and to talk about their lifestyle. You need to prepare what you are going to ask them. When you are preparing you should be thinking about the advantages of being healthy so you should ask them some questions on exercise and diet. Tell them who your sporting role model is and ask your teacher to ask you a question about them.

When you get a chance during the interview tell your teacher why you think a healthy lifestyle is good and tell them what you do to stay healthy.

Comhairle:

The interview should not last any longer than 6 minutes.

* Use the vocabulary from the reading exercises in this section to help you.
* Try to develop and extend your answer.
* Use the following questions to help you with the task.

Ceisteanna Samplacha:

a) Cén sórt bia is fearr leat?

b) Cén sórt bia atá folláin?

c) An maith leat smailceanna?

d) An itheann tú féin agus do theaghlach greim gasta go minic?

e) Cad iad na buntáistí a bhaineann le saol sláintiúil?

f) Cén caitheamh aimsire is fearr leat?

g) Cén spórt a imríonn tú?

h) An ndéanann tú aclaíocht go minic?

i) An duine aclaí thú? Mínigh do fhreagra.

j) An bhfuil tú i do bhall de chumann ar bith ar an bhaile nó ar scoil?

k) An bhfuil spórt ar bith ann ba mhaith leat bheith ábalta a imirt?

l) Cad iad na buntáistí a bhaineann le spórt?

m) Cad é a dhéanann tú le do scíth a ligean?

n) Cuir síos ar dhuine spórtúil a bhfuil meas mór agat air / uirthi.

o) Cad chuige a bhfuil meas agat ar an duine sin?

Context 2
Citizenship

2A: Social Problems and Equality

By the end of this unit, you will be able to understand vocabulary relating to social issues and problems and you will be able to produce a piece in speech and writing on this topic. The main areas covered will be:

- Crime and Violence
- Underage Drinking and Drug Abuse
- Unemployment and Emigration
- Poverty and Homelessness
- Equality

You will also learn grammar relating to:

- Verb Tenses including the Autonomous
- The copula
- Comparative adjectives

Foréigean agus Coiriúlacht

READING

Read the following extracts from local newspapers highlighting the problem of violence and crime and answer the questions that follow.

A.

Briseadh isteach i siopa poitigéara inné agus goideadh piollaí agus drugaí.

B.

Tá muintir na háite in eastát tithíochta i nDún Geanainn dubh dóite leis na fadhbanna sóisialta sa cheantar. Deir siad go bhfuil creachadóireacht ag tarlú gach deireadh seachtaine. Bíonn daoine óga ag dul thart ag briseadh fuinneoga agus ag scríobh graifítí ar na ballaí.

C.

Bhí robáil armtha i lár Bhéal Feirste inné nuair a chuaigh fear isteach sa bhanc. Bhí gunna aige agus ghoid sé fiche míle punt. Bhí bean ag fanacht sa charr taobh amuigh. Ba mhaith leis na péas eolas faoin robáil.

D.

Rinne déagóir ionsaí ar Sheán Ó Néill, fear meánaosta, ar an Srath Bán aréir. Tharla sé go mall san oíche nuair a bhí an fear ag siúl abhaile ón teach tábhairne. Ghoid an déagóir deich bpunt ón fhear agus d'imigh sé leis. Tugadh an tUasal Ó Néill go dtí an otharlann i nDoire ach níl sé gortaithe go dona.

E.

Bhí Gearóid Ó Muirí (15 bliana) agus Barra Mac Ruairí (16 bliana) os comhair na cúirte in Ard Mhacha maidin Dé Luain. Tógadh an bheirt acu oíche Shathairn nuair a cuireadh fios ar na gardaí. Bhí siad ar meisce agus ag troid taobh amuigh d' ionad seandaoine. Bhí na seandaoine uilig scanraithe, dar leis na gardaí.

Write out the words/phrases you know **in English**.

siopa poitigéara	**muintir na háite**
eastát tithíochta	**dubh dóite**
creachadóireacht	**ag tarlú**
robáil armtha	**goid**
eolas	**coiriúlacht**

ionsaí	meánaosta
tharla sé	teach tábhairne
gortaithe	os comhair na cúirte
tógadh	cuir fios ar
ar meisce	ag troid
ionad seandaoine	scanraithe

1. Using the extracts from the articles above to link the correct sentence to letters A – E.

    1. Vandalism is a problem in the local housing estate.

    2. A man was attacked and robbed.

    3. An armed robbery took place in the city centre.

    4. Drugs were stolen from a chemist shop.

    5. Two youths have been in court for drunken behaviour.

2. Cuir líne faoi na ceithre abairt atá fíor.

    a) Goideadh airgead ón siopa poitigéara.

    b) Níl bunadh na háite i nDún Geanainn sásta leis na fadhbanna sóisialta.

    c) Bhí eagla ar na seandaoine in Ard Mhacha.

    d) Gortaíodh Seán Ó Neill go dona.

    e) Bíonn creachadóireacht ag tarlú i rith na seachtaine i nDún Geanainn.

    f) Ní raibh gunna ag an fhear a robáil an banc.

    g) Bhí Gearóid agus Barra ólta oíche Shathairn.

    h) Chuidigh bean leis an fhear a robáil an banc.

Cad é do bharúil?

Read the following opinions about young people and social problems and answer the 2 questions that follow.

Is pinsinéir mé agus tá mé i mo chónaí liom féin ó fuair m'fhear céile bás cúpla bliain ó shin. In amanna ní bhím ábalta codladh san oíche mar bíonn daoine óga ag déanamh calláin taobh amuigh. Chomh maith leis sin, bím iontach neirbhíseach ag siúl go dtí an siopa mar bíonn slua mór déagóirí ina seasamh thart ag coirnéal na sráide. Bíonn siad ag ól fosta.

Sorcha 73 bliana

Is déagóir mé. Níl mórán le déanamh sa cheantar ach amháin bualadh le mo chairde ag na siopaí. Ní bhíonn an t-airgead againn le dul chuig an phictiúrlann. Is maith linn bheith ag amaidí agus ag siúl thart an ceantar ach bímid dubh dóite fosta agus ceannaíonn muid alcól corruair.

Pól 16 bliana

Is oibrí sóisialta mé.   Bíonn dhá insint ar achan scéal. Tá easpa áiseanna do dhaoine óga sa cheantar seo. Tá club óige agus sólann de dhíth orthu mar bíonn siad ag crochadh thart agus ag cur isteach ar na comharsana. Caithfidh Comhairle na Cathrach rud éigin a dhéanamh faoin fhadhb. Tá tacaíocht de dhíth orthu. Mol an óige agus tiocfaidh sí!

Marcas 37 mbliana

1.   Search for the words/phrases in the text above and write them, in Irish, in your book.

    a)   making noise

    b)   a big crowd

    c)   teenagers

    d)   except

    e)   messing about

    f)   fed up

    g)   hanging about

    h)   lack of facilities

    i)   The City Council

Seanfhocail

See if you can find the following proverbs in the previous text and write them out below.

    j)   There are two sides to every story.

    k)   Praise young people and they will blossom!

2.   Cóipeáil an tábla agus cuir tick sa bhosca cheart.

	Abairtí	Fíor	Bréagach	Níl an t-eolas ann?
a)	Bíonn Sorcha sásta ina leaba san oíche.			
b)	Síleann Pól nach bhfuil go leor áiseanna sa cheantar.			
c)	Faigheann Pól airgead póca gach seachtain.			
d)	Síleann Marcas go bhfuil níos mó áiseanna de dhíth sa cheantar.			
e)	Mothaíonn Sorcha compordach nuair a fheiceann sí déagóirí ar an tsráid.			
f)	Síleann Marcas go bhfuil Comhairle na Cathrach ag déanamh go leor leis an fhadhb a réiteach.			

Ólachán Faoi Aois agus Drugaí

READING

Scríobhann príomhoide scoile faoi ólachán faoi aois agus drugaí.

Read the articles below and answer the questions that follow.

Foclóir le cuidiú

fadhb mhór	a big problem
fadhbanna sláinte	health problems
ag éirí níos measa	getting worse
mar gheall ar … of …	because of / on account

Ólann a lán daoine óga alcól. Is fadhb mhór í. Deir dochtúirí go mbeidh fadhbanna sláinte acu nuair a bheidh siad níos sine.

Tá fadhb na ndrugaí go holc in Éirinn fosta agus deir na gardaí go bhfuil an fhadhb ag éirí níos measa gach bliain. Tá drugaí gach áit – faoin tuath agus sa chathair. Tógann a lán déagóirí drugaí agus in amanna faigheann siad bás mar gheall ar na drugaí.

1.   Scríobh an freagra ceart i do leabhar.

   (a) (i) Ní ólann déagóirí alcól.

         (ii) Ólann mórán déagóirí alcól.

         (iii) Beidh na daoine óga seo sláintiúil nuair a bheidh siad níos sine.

   (b) (i) Ní bhíonn drugaí ar fáil faoin tuath.

         (ii) Bíonn drugaí ar fáil faoin tuath.

         (iii) Bíonn drugaí ar fáil sa chathair amháin.

   (c) (i) Níl drugaí contúirteach.

         (ii) Níl fadhbanna sláinte le drugaí.

         (iii) Tá drugaí contúirteach.

Foclóir le cuidiú

na laethanta seo	these days
fadhbanna teaghlaigh	family problems
brú	pressure
piarbhrú	peer pressure
éalaigh / éalú	escape / to escape
áiseanna	facilities
tithe tábhairne	pubs
furasta	easy

Léigh an sliocht seo.

Bíonn cuid mhór fadhbanna ag daoine óga na laethanta seo – fadhbanna teaghlaigh, brú na scoile agus piarbhrú, mar shampla. Ba mhaith leo éalú ó na fadhbanna atá acu agus in amanna bíonn brú orthu óna gcairde bheith ag glacadh drugaí agus bheith ag ól.

Ní bhíonn go leor áiseanna ann do dhaoine óga agus téann siad go dtí na tithe tábhairne agus na clubanna oíche agus bíonn sé iontach furasta alcól agus drugaí a fháil ansin.

2.   Freagair na ceisteanna seo i nGaeilge.

   a)   Ainmnigh fadhb amháin a bhíonn ag déagóirí.

   b)   Cad chuige a mbíonn daoine óga ag tógáil drugaí? Luaigh fáth amháin.

   c)   An bhfuil sé deacair alcól agus drugaí a cheannach sna clubanna oíche?

Foclóir le cuidiú

foréigean	violence
gafa le	addicted to
ionsaí	an attack

Seanfhocal

Nuair a bhíonn an t-ól istigh, bíonn an chiall amuigh!   When the drink is in, the sense is out!

Léigh an sliocht seo.

Tá fadhb eile leis an ólachán. Nuair a bhíonn daoine óga ag ól, bíonn an foréigean níos measa mar tosaíonn troideanna. Nuair a bhíonn an t-ól istigh bíonn an chiall amuigh!

Níos measa arís, nuair a bhíonn daoine óga gafa le drugaí, bíonn a lán airgid de dhíth orthu le drugaí a cheannach agus in amanna briseann siad isteach i siopaí, déanann siad ionsaí ar dhaoine agus goideann siad airgead.

3. Líon isteach na bearnaí le focal ón bhosca thíos.

a) Tosaíonn _____ nuair a bhíonn daoine óga _____.

b) Bíonn _____ ann nuair a bhíonn _____
de dhíth ar dhaoine óga le drugaí a cheannach.

c) Ní bhíonn daoine óga _____ nuair a bhíonn siad ag ól.

ólta   **gadaíocht**   **troideanna**

airgead   **ciallmhar**

Foclóir le cuidiú

réiteach	a solution
cuidiú	help
ar fáil	available
tacaíocht	support
ionad sláinte	health centre
láidir	strong
ciallmhar	sensible
rialtas	government
oideachas	education
eolas	information
dochar	harm
An Chomhairle áitiúil	the local Council
cuir ar fáil	provide
caithfidh déagóirí …	teenagers must …

Leigh an sliocht seo.

Ar an drochuair, níl réiteach simplí ar an fhadhb. Tá cuidiú agus tacaíocht de dhíth ar dhaoine óga. Tig leo labhairt lena dtuismitheoirí nó lena múinteoirí agus bíonn cuidiú ar fáil san ionad sláinte chomh maith. Caithfidh déagóirí bheith iontach láidir agus ciallmhar na laethanta seo.

Caithfidh an rialtas oideachas agus eolas a thabhairt do dhaoine óga faoin dochar a dhéanann drugaí agus alcól. Chomh maith leis sin, caithfidh an Chomhairle áitiúil níos mó áiseanna a chur ar fáil faoin tuath agus sa chathair.

4. Cóipeáil an tábla agus cuir tick sa bhosca cheart.

	Abairtí	Fíor	Bréagach	Níl an t-eolas ann?
a)	Beidh sé furasta réiteach a fháil.			
b)	Tá eolas de dhíth ar dhéagóirí faoi dhrugaí.			
c)	Déanann drugaí damáiste don tsláinte.			
d)	Tógfaidh an Chomhairle áitiúil sólann úr an bhliain seo chugainn.			

READING

Read the article below and answer, in English, the questions that follow.

Féile don Teaghlach Uilig i nDoire

Tá Doire iontach clúiteach anois mar an áit is fearr chun Oíche Shamhna a chaitheamh in Éirinn. Is é an carnabhal Samhna is mó in Éirinn é. Bíonn gach duine gléasta i mbréagéadaí don Fhéile – idir óg agus aosta – agus baineann gach duine sult mór as. Ar an drochuair bhí droch-chlú ar an Fhéile anuraidh as an ólachán. Bhí fadhb mhór le déagóirí ag ól faoi aois agus in amanna bhí trioblóid ann a chuir isteach ar na teaghlaigh óga a bhí i láthair.

Tugadh cailín cúig bliana déag d'aois agus beirt bhuachaillí sé bliana déag d'aois go dtí otharlann Alt na nGealbhán i nDoire. Bhí siad go dona tinn mar bhí barraíocht ólta acu agus bhí orthu fanacht thar oíche san otharlann. Dúirt siad leis na péas go raibh siad ábalta alcól a cheannach san eischeadúnas le cárta aitheantais bréagach.

Buíochas le Dia, bhí rudaí i bhfad níos fearr i mbliana. Bhí ceantar gan alcól ann in aice leis na himeachtaí móra i rith an lae agus dúirt na meáin chumarsáide go raibh feabhas mór ar an fhadhb. Ghabh Méara Dhoire, Colm Eastwood, buíochas le Comhairle Chathair Dhoire as an obair ar fad a rinne siad leis an charnabhal a eagrú. Chomh maith leis sin, bhí an Chomhairle ag obair le scoileanna, le clubanna óige, le grúpaí óige, leis na hEaglaisí agus le Seirbhís Phóilíneachta Thuaisceart Éireann leis an fhadhb a réiteach.

Search for these words in the dictionary and give the English meaning:

clúiteach	**Oíche Shamhna**
an áit is fearr	**carnabhal**
gléasta	**bréagéadaí**
idir óg agus aosta	**drochchlú**
ar an drochuair	**i láthair**
tugadh go dtí …	**bhí orthu …**

eischeadúnas	**cárta aitheantais**
Buíochas le Dia	**ceantar gan alcól**
imeachtaí	**i rith an lae**
i bhfad níos fearr	**na meáin chumarsáide**
feabhas	**Comhairle Chathair Dhoire**
Méara Dhoire	**eagraigh / eagrú**

Answer the following questions **in English**.

1. State two facts about the Halloween Festival in Derry.
2. According to the article, the festival had negative reports last year. Why?
3. What did the young families at the event feel about this?
4. Why were several teenagers admitted to hospital that night?
5. What did they tell the police about how they had bought the alcohol?
6. What efforts did Derry City Council make to improve the situation?
7. What did the media have to say about the event this year?
8. While organising the festival, Derry City Council worked with several groups to help solve the problem. Name 3 of these groups.

WRITING

Alcól agus Drugaí: Cuardach Focal

Aimsigh na focail agus scríobh isteach iad.

c	o	n	t	ú	i	r	t	e	a	c	h	á	h
o	m	o	l	c	f	a	a	a	l	o	f	i	d
m	é	a	d	ú	a	i	c	s	c	m	i	s	é
h	e	d	g	t	d	u	a	p	ó	h	l	e	a
a	e	c	d	i	h	n	í	a	l	a	p	a	g
r	l	h	b	m	b	l	o	p	o	i	i	n	ó
s	t	r	u	s	f	h	c	i	b	r	ú	n	i
a	í	a	g	u	r	d	h	f	u	l	f	a	r
n	c	a	l	l	á	n	t	d	b	e	u	s	m
a	p	o	b	a	r	r	a	í	o	c	h	t	c
t	e	a	c	h	t	á	b	h	a	i	r	n	e

alcohol	drugs
problem	teenager
neighbours	too much
dangerous	support
advice	facilities
pressure	stress
noise	an increase
lack of	pub

Dífhostaíocht agus Bochtaineacht

LISTENING

Listen to these teenagers discussing unemployment and its problems. Answer, **in English**, the questions that follow. Use the vocabulary provided to help you.

Foclóir le cuidiú

fostaíocht	employment	**dífhostaíocht**	unemployment
dífhostaithe	unemployed	**as obair**	out of work
post/poist	job(s)	**páirtaimseartha**	part time
monarcha	factory	**ceantar**	area
thar lear	abroad	**imirce**	emigration
ollscoil	university	**táillí ollscoile**	university fees
airgead	money	**go leor airgid**	enough money

Answer the following questions **in English**.

1.   How did Peadar's father lose his job?
2.   Why does Sorcha want a part time job?
3.   What can Dónall not afford to buy at the moment?
4.   Why did Máire's sister go to England?
5.   What can Aoife's parents not afford right now?
6.   Why is Seán concerned about going to university?

Dífhostaíocht agus Imirce

READING

Cuireann Ciara síos ar an dífhostaíocht ina ceantar féin.

1.   Líon isteach na bearnaí thíos. Bain úsáid as na focail sa bhosca thíos.

Is _____ mhór í an dífhostaíocht in Éirinn. Tá an eacnamaíocht go dona sa tír agus tá _____ ag druidim gach lá. Níl daoine ábalta _____ a fháil agus, mar sin de, tá cuid acu ag dul ar _____ go Sasana agus go dtí an Astráil ar lorg oibre.

Tá rudaí go holc i mo cheantar féin chomh maith. Is _____ é mo dheartháir Conor agus bhain sé céim amach ó _____ na Banríona trí bliana ó shin ach tá sé _____ go fóill. Tá sé geallta le cailín áitiúil agus ba mhaith leis _____ am éigin ach beidh sé doiligh gan post bheith aige. Mar sin de, beidh an bheirt acu ag dul go dtí an Astráil ar feadh cúpla _____. Deir daoine go bhfuil níos mó _____ san Astráil. Tá cúpla duine ón bhaile seo ann cheana féin mar _____ siad obair in Éirinn.

Is tógálaí é m'athair agus bhí sé ag obair ar _____ go dtí cúpla mí ó shin. _____ sé a phost agus anois tá sé as obair go fadtéarmach. Tá rudaí deacair go leor sa teach ag an bhomaite mar ní bhíonn _____ againn le rudaí deasa a cheannach – éadaí _____ agus laethanta saoire _____, mar shampla.

thar lear	**nua**	**monarchana**	**bliain**
deiseanna	**fadhb**	**imirce**	**dífhostaithe**
post	**Ollscoil**	**airgead**	**pósadh**
ní bhfuair	**innealtóir**	**chaill**	**láithreán tógála**

2.   Cóipeáil an tábla agus cuir tick sa bhosca cheart.

	Abairtí	Fíor	Bréagach	Níl an t-eolas ann?
a)	Tá a lán daoine dífhostaithe in Éirinn anois.			
b)	Rachaidh Conor thar lear le post a fháil.			
c)	Ba mhaith le Conor pósadh san Astráil.			
d)	Níl cáilíochtaí ar bith ag Conor.			
e)	Fuair athair Chiara post eile nuair a chaill sé a phost ar an láithreán tógála.			
f)	Níl mórán airgid ag an teaghlach ag an bhomaite.			

WRITING

Dífhostaíocht agus Imirce – Cuardach Focal

Aimsigh na focail agus scríobh amach iad.

a	g	d	r	u	i	d	i	m	t	a	g	i	p
n	d	í	f	h	o	s	t	a	i	t	h	e	c
o	i	p	i	m	i	r	c	e	d	c	h	n	o
c	t	s	u	b	n	i	o	f	m	s	u	n	m
d	í	f	h	o	s	t	a	í	o	c	h	t	h
a	g	a	r	c	n	t	a	g	n	a	i	u	l
o	n	p	t	h	a	r	l	e	a	r	a	o	a
c	r	o	s	t	l	c	n	p	r	l	r	s	c
h	e	a	c	n	m	a	í	o	c	h	t	o	h
p	t	ó	g	á	l	a	í	s	h	a	d	i	t
c	á	i	l	í	o	c	h	t	a	g	t	n	o

unemployment	poor
factory	unemployed
job	emigration
economy	builder
abroad	qualification
closing	a company

LISTENING

Daoine gan Dídean

Tá ardú mór ar líon na ndaoine óga gan dídean. Chuir Áine Ní Néill, iriseoir leis an Irish News, agallamh ar fhear óg a chaith cúpla bliain ar na sráideanna i mBéal Feirste.

1. Listen to this interview with a young man who spent some time homeless. Answer, **in English**, the questions that follow.

    a) At what age did Niall start drinking?

    b) How did the situation get worse from there?

    c) What reason does he give for this?

    d) How did Niall get the money for his habit?

    e) How did his parents react to his problem initially?

    g) Give 1 reason why they finally asked him to leave?

    h) What was life on the streets like for Niall? Make 2 points.

    i) What happened to turn his life around?

    j) What is Niall doing to ensure a better future for himself?

2.   Listen to the interview again and put the following statements in order.

    a)   He would like to help others.

    b)   He left home.

    c)   He is doing a training course.

    d)   He was lonely on the streets.

    e)   He met a man who helped him.

    f)   He became addicted to drugs.

    g)   Niall began drinking at a young age.

    h)   His would not let his parents help him.

WRITING

3.   Try to identify the words and phrases below in the listening exercise and write them out in Irish.

the matter got worse	really terrible
my friends put pressure on me	I was lonely
addicted to drugs	help
stealing money	charity shop
very worried	a counsellor
able	in the future
to give up drugs	the Simon Community

PAIR WORK

Fadhb nó Réiteach?

With your friend, look at the words / phrases below. Decide whether they are a problem or a solution to a problem and write them under the correct heading.

Is fadhb shóisialta í seo   Is réiteach é seo

foréigean	fadhbanna teaghlaigh	tacaíocht
níos mó áiseanna	ólachán faoi aois	cuidiú agus comhairle
cairde maithe	coiriúlacht	club óige
creachadóireacht	ionad sláinte	easpa áiseanna
gafa le drugaí	oideachas	gadaíocht
comhairleoir		

Comhionannas

PAIR WORK

Read the following statements which young people have made regarding equality in society. Some of them relate to equality in the world of education and work and others relate to family and social life.

1.   With your classmate, work out the meaning of the statements, discuss them and then put them under the correct heading.

Oideachas agus Obair   An Teaghlach agus Saol Sóisialta

a) Is cailín mé. Déanaim an obair tí sa teach. Ní dhéanann mo dheartháir rud ar bith. Níl sin cothrom.

b) Faigheann cailíní torthaí níos fearr ná buachaillí i scoileanna measctha.

c) Níl cailíní ábalta peil a imirt.

d) Sílim go bhfuil buachaillí níos fearr ag Mata ná cailíní.

e) Rinne mé an Teist Aistrithe ar an bhunscoil.

f) Déanann mo dhaidí an chócaireacht sa teach.

g) Tá mé ag freastal ar scoil ghramadaí ach tá mo dheirfiúr ar an mheánscoil.

h) Tá post lánaimseartha ag mo dhaidí agus is bean tí í mo mhamaí.

i) Fágann níos mó buachaillí ná cailíní an mheánscoil gan cáilíochtaí ar bith.

j) Ní fheicim mo dhaidí go minic mar tá mo thuismitheoirí scartha.

k) Faigheann fir pá níos airde ná mná in amanna.

l) Tá post lánaimseartha ag mo mhamaí agus déanann sí an obair tí fosta.

2. Anois meaitseáil na focail seo a leanas. Déan amach tábla agus meaitseáil an litir agus an focal ceart.

1.	**cothrom**	a)	the Transfer Test
2.	**lánaimseartha**	b)	housework
3.	**torthaí**	c)	higher pay
4.	**pá níos airde**	d)	better at …
5.	**scartha**	e)	qualifications
6.	**an Teist Aistrithe**	f)	results
7.	**scoil mheasctha**	g)	separated
8.	**obair tí**	h)	full time
9.	**cáilíochtaí**	i)	fair
10.	**níos fearr ag …**	j)	a mixed school

Speaking exercise: Presentation on Social Problems

You have been asked to make a presentation on social problems in your area. Your presentation should only last about 2 minutes in total. When you have finished the presentation get your classmates to ask you a couple of questions.

When preparing the presentation look at some of the reasons why there are social problems and try to offer some solutions to these problems. You could get information on this topic from local newspapers, on the internet or by simply talking to other people of your age in the area. When you are delivering your presentation tell the group your opinions on this subject.

Allow about 2 minutes after your presentation to answer some questions.

Writing exercise: Equality

A youth group has asked you to write a short article on equality in the workplace. They are interested in the pay and working conditions that women and men receive when they are in similar jobs.

You might want to look at whether women or men leave work more often to look after their children when they are not feeling well. See if you can find out if the pay they get is the same for both men and women in the same job. Are there more men in senior jobs than women?

Inform the group what you have found out. Tell them what you think about the things you have found. If you find that one group is unfairly advantaged try to offer some ways of resolving this situation.

When you have prepared your notes or plan to write this article, time yourself and see how much you can write in one hour. You should try to write up to 300 words if you can.

Foclóir: Fadhbanna Sóisialta agus Comhionannas

áiseanna	facilities / resources
alcól	alcohol
airgead	money
ar meisce	drunk
ardú	a rise
tá baint idir __ agus ___	there's a connection between ___ and ____
bocht	poor
bochtaineacht/ bochtanas	poverty
brú	pressure
callán	noise
comhairle	advice
comharsa(na)	neighbour(s)
contúirt(í)	danger(s)
contúirteach	dangerous
coir (eanna)	a crime(s)
coiriúlacht	crime
comhionannas	equality
creachadóireacht	vandalism
cothrom	fair
cuidiú	help
cuir fios ar	to send for
cuir isteach ar	bother /annoy
os comhair na cúirte	up in court
Cumann Naomh Uinseann de Pól	St Vincent de Paul Society
damáiste	damage
dainséar	danger
daoine gan dídean	homeless people
déagóir(í)	teenager(s)
dlí	law
ag briseadh an dlí	breaking the law
dochar	harm
dífhostaíocht	unemployment
dífhostaithe	unemployed
drugaí	drugs
éalaigh	escape
easpa	lack of
fadtéarmach	long term
fadhb(anna)	problem(s)

féinmharú	suicide
féinghortú	self-harm
foréigean	violence
gadaí	thief
gadaíocht	theft
gardaí	police
forleathan	widespread
ganntanas	shortage
garda / péas	police
goid / ag goid	steal / stealing
imirce	emigration
ionad seandaoine	old people's home
ionsaí (ionsaithe)	an attack(s)
líon na ndaoine	the number of people
méadú	an increase
monarcha(na)	factory / factories
mothaigh / ag mothú	feel / feeling
ólachán	drinking
olc / dona	bad
pobal	community / public
Pobal Shíomóin	the Simon Community
príosún	prison
príosúnach	prisoner
réiteach	solution
robáil armtha	armed robbery
spraoithiomáint	joy riding
strus	stress
tábhacht	importance
tábhachtach	important
tacaíocht	support
teach tábhairne	a pub
troid(eanna)	fight(s)

Context 2
Citizenship
2B: Travel and Tourism

By the end of this unit, you will be able to understand vocabulary relating to travel and tourism and you will be able to produce a piece in speech and writing on this topic. The main areas covered will be:

- Countries from around the world
- The language of different countries
- The currency of different countries

You will also explore grammar relating to:

- The definite article (an = the) with countries' names
- Verbs commonly used with travel
- Indirect speech

READING

Áiteanna ar fud an domhain – Places around the world

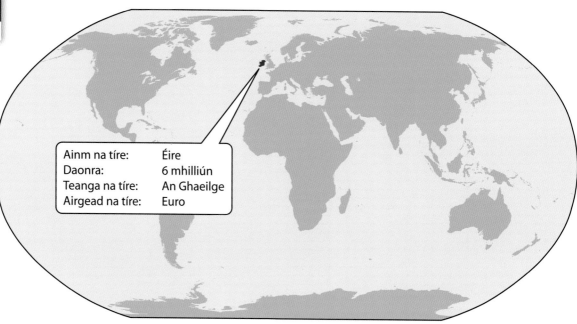

Ainm na tíre: Éire
Daonra: 6 mhilliún
Teanga na tíre: An Ghaeilge
Airgead na tíre: Euro

WRITING

Match the countries in the list below using the numbers and letters. A sample has been done for you.

Sample: 1.   *An Fhrainc*   a)   *France*

2.   An Spáinn   b)   Russia

3.   An Iodáil   c)   Scotland

4.   An Ghearmáin   d)   Italy

5.   An Rúis   e)   China

6.   An Bheilg   f)   America

7.   An Bhreatain Bheag   g)   The Isle of Man

8.   An tSín   h)   Belgium

9.   An Astráil   i)   Canada

10. Meiriceá   j)   Australia

11. Albain   k)   England

12. Oileán Mhanann   l)   Wales

13. Sasana   m)   Spain

14. Ceanada   n)   Germany

Working in small groups, select four countries each and fill in the details for each country.

Ainm na tíre:

Daonra:

Teanga na tíre:

Airgead na tíre:

When you are back in your large group again, all the small groups can share the information they found with the other groups.

Speaking about travel

The country	In....	To...
An Bhreatain	sa Bhreatain	chun na Breataine
An Fhrainc	sa Fhrainc	chun na Fraince
An Spáinn	sa Spáinn	chun na Spáinne
An Iodáil	san Iodáil	chun na hIodáile
An Ghearmáin	sa Ghearmáin	chun na Gearmáine
An Rúis	sa Rúis	chun na Rúise
An Bheilg	sa Bheilg	chun na Beilge
An Bhreatain Bheag	sa Bhreatain Bheag	chun na Breataine Bige
An tSín	sa tSín	chun na Síne
An Astráil	san Astráil	chun na hAstráile
Éire	in Éirinn	go hÉirinn
Meiriceá	i Meiriceá	go Meiriceá
Albain	in Albain	go hAlbain
Oileán Mhanann	in Oileán Mhanann	go hOileán Mhanann
Sasana	i Sasana	go Sasana
Ceanada	i gCeanada	go Ceanada

In the table above you will see the way to say "in a country" and "to a country". Speak to your friend about some places you have been to or somewhere you would like to go. Write down a couple of verbs that you can use when you are talking about travelling.

Here are a few samples for you in the Past Tense – An Aimsir Chaite.

Bí – the verb - Be

Bhí mé i Sasana ar laethanta saoire. *I was in England on holidays.*

Téigh – the verb - Go

Chuaigh mé chun na Spáinne anuraidh. *I went to Spain last year.*

Caith – the verb - Spend

Chaith mé coicís san Astráil. *I spent a fortnight in Australia.*

Fan – the verb - Stay

D'fhan mé sa Fhrainc ar feadh seachtaine. *I stayed in France for a week.*

Taistil – the verb - Travel

Thaistil mé go hAlbain i Mí Iúil. *I travelled to Scotland in July.*

Look how the word on the left-hand side changes when the phrase 'ar feadh' is used.

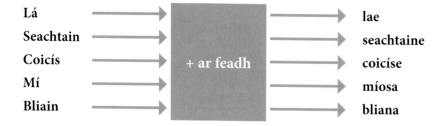

Lá		lae
Seachtain		seachtaine
Coicís	+ ar feadh	coicíse
Mí		míosa
Bliain		bliana

WRITING

Now go to the grammar section and use the information there to help you write the samples given above in the **present** and **future** tense.

An Aimsir Láithreach

(Bí+ mé)_____ (in Britain) _____ar laethanta saoire.

(Téigh + mé)_____ (to Spain) _____ (every year) _____.

(Caith+ mé)_____ (a month)_____ san Astráil.

(Fan+ mé) _____ sa Fhrainc (for)_____ seachtaine.

(Taistil+ mé) _____ go hAlbain (in June) _____.

An Aimsir Fháistineach

(Bí + mé)_____ i Sasana (for two weeks) _____.

(Téigh + mé)_____ (to Spain) _____ (next year)_____.

(Caith+ mé)_____ (three weeks)_____ san Astráil.

(Fan+ mé) _____(a week) _____(in Canada) _____.

(Taistil+ mé) _____ (to Italy) _____ i Mí Iúil.

Listening about travel

Listen to the people talking and write out the following information about each one.

Name:

Verb:

Place:

Length of time:

Cad é do bharúil…?

There are many different ways to express your opinion in Irish. Read the passage below and identify the opinions and write them in your book.

Is mise Síle, is scoláire tríú leibhéal mé agus tá mé ag déanamh staidéir ar an ollscoil i mBéal Feirste. Sílim gur cathair mhaith í Béal Feirste ach leis an fhírinne a dhéanamh creidim go bhfuil Nua Eabhrac i bhfad níos fearr. I mbliana bhí an t-ádh orm mar chuaigh mé go Meiriceá. D'fhan mé ann ar feadh míosa ach chaith mé an chéad choicís i Nua Eabhrac. Thaistil mé ar eitleán agus mhair an turas níos faide ná mar a cheap mé. Bhí mé ar eitleán Aer Lingus, déarfainn gur iad Aer Lingus an comhlacht taistil is fearr. Thug mé £500 ar thicéad fillte agus mheas mé go raibh an costas réasúnta.

Saibhreas

Listed below are some ways of expressing your opinion.

Sílim	Silim go bhfuil An Fhrainc ar dóigh.
Creidim	Creidim go bhfuil an fhearthainn ar an bhealach.
Ceapaim	Ceapaim go mbeidh sé mall.
Measaim	Measaim go dtiocfadh léi é a fhoghlaim.
Is é mo bharúil	Is é mo bharúil go bhfuil Pól láidir.
Is é mo thuairim	Is é mo thuairim go raibh an dráma go holc.
Tá mé den bharúil	Tá mé don bharúil go bhfuil sí tinn.
Tá mé den tuairim	Tá mé den tuairim nach mbeidh mé ar ais anseo.

Try writing out a few sentences using some of the phrases above.

Before beginning this piece look in the grammar section for 'Indirect Speech'. This will give you some helpful hints on this.

In this piece we will look at adding verbs or phrases which give an opinion followed in the statement. You will see in the example given below that 'Tá' is changed to 'go bhfuil' – this is the 'Dependent Form' {an Fhoirm neamhspleách} of the verb.

Mar shampla:

Sílim + Tá sé go maith = Sílim **go bhfuil** sé go maith.

1.   Sílim
2.   Creidim
3.   Ceapaim
4.   Measaim
5.   Is é mo bharúil
6.   Is é mo thuairim
7.   Tá mé den bharúil
8.   Tá mé den tuairim

+ Tá sé go maith → ...go bhfuil sé go maith.

Write out a sentence using each of the phrases above. You can finish the sentence with '...go bhfuil sé go maith' or you could add on your own ending.

Writing exercise: Equality

You have just spent your first week on holidays and you are writing a letter to your best friend to tell them all about it.

Let your friend know how you traveled to your holiday destination and what you thought of it. Tell them how long the trip took and who was on it with you. They will want to know about the hotel, of course. Let them know what the food was like and what facilities the hotel has. Tell them what language they speak where you are staying. Be sure to mention the good and the bad aspects of the holiday in case they are considering going there on holiday.

When you have prepared your notes or plan to write this letter, time yourself and see how much you can write in one hour. You should try to write up to 300 words if you can.

Context 2
Citizenship
2C: Local Environment

By the end of this unit, you will be able to understand vocabulary relating to Environmental Issues and you will be able to produce a piece of work in speech and in writing on this topic. The main areas covered will be:

- Litter
- Transport
- Energy
- Conservation
- Recycling
- Attitudes and responsibilities regarding the above topics.

Grammar associated with this unit:

- Prepositions
- Adjectives
- Comparative adjectives
- Comparing, giving and justifying opinions
- The imperative tense.

Cúrsaí iompair

Look at the statement and symbols below. Match each of the statements with a symbol.

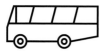 Tá sé sláintiúil agus praiticiúil taisteal ar an rothar.

 Téann daoine ar ghluaisrothair mar chaitheamh aimsire.

 Sílim go mbíonn busanna ró-mhall.

 Tá an traein an-chompordach ach níl na seirbhísí traenach go maith in Éirinn.

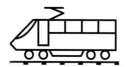 Is breá liom taisteal in eitleán ach is fuath liom an t-aerfort.

 Is breá le muintir na hÉireann an carr ach is fuath leo an brú tráchta!

 Tig le siúlóid bheith iontach contúirteach.

 Tá sé furasta tacsaí a fháil ach tá sé i bhfad ró-chostasach.

Answer the questions below **in English.**

- a) What is said about taxis? Make two points.
- b) What is said to be the healthy option?
- c) What mode of transport can be dangerous?
- d) What is said about buses?

e)   Make two points about air travel.

f)   What problem is mentioned about travelling by car?

g)   What mode of transport can be a hobby?

h)   Make two points about travelling by train.

You listen to some people talking about their preferred mode of transport. Answer the questions which follow **in English**.

Match the mode of transport used by the people to the symbols 1-5.

| **Seán** | **Ciara** | **Fionn** | **Róisín** | **Sinéad** |

1   2   3

4   5

Read the following articles from people talking about environmental issues.

This vocabulary might help you with the passage.

Buntáistí	Advantages	Úsáideach	Useful
Go háirithe	Especially	Córas iompair phoiblí	Public transport system
Míbhuntáistí	Disadvantages	Truailliú	Pollution
Callán	Noise	Dualgas	Duty
Is saibhre	Richest	Barraíocht fuinnimh	Too much energy
Truaillithe	Polluted	Locht	Blame

Read the passages and answer the questions which follow.

Seán:

Tá buntáistí le gluaisteáin. Ar ndóigh tá siad iontach úsáideach agus tú ag dul ó áit go háit, go háirithe faoin tuath, áit nach bhfuil an córas iompair phoiblí go maith. Ach ar an láimh eile, tá míbhuntáistí le gluaisteáin fosta – na costais éagsúla, an truailliú agus an callán. Bíonn an brú tráchta go holc go minic agus cuireann daoine a gcarranna gach áit.

Úna:

Sílim go bhfuil dualgas ar gach duine aire a thabhairt don timpeallacht. Táimid uilig inár gcónaí sa domhan céanna agus níl an scéal go maith. Is buaireamh idirnáisiúnta é. Sna tíortha is saibhre caitheann daoine i bhfad barraíocht fuinnimh.

Pól:

Sa rang tíreolaíochta inné bhí muid ag foghlaim faoi théamh domhanda. Tá an domhan ag iarraidh níos teo agus tá an locht ar gach duine – go háirithe sna tíortha is saibhre.

Caitríona:

Truailliú – tá sé gach áit! Tá an t-aer truaillithe. Tá na farraigí truaillithe. Tá na tránna, na haibhneacha agus na locha truaillithe. Agus tá an locht ar gach duine!

READING

Copy the table below. Read the following sentences and put a tick the correct box.

	Abairtí	Fíor	Bréagach	Níl an t-eolas ann?
a)	Níl na seirbhísí poiblí go maith faoin tuath.			
b)	Níl buntáistí ar bith le gluaisteáin.			
c)	Bíonn gluaisteáin iontach costasach.			
d)	Tá an-dúil ag Pól sa tíreolaíocht.			

Léigh an t-alt thuas arís agus cuir líne faoi na **ceithre** abairt atá fíor.

 a) Tig le carranna bheith iontach callánach.

 b) Ba cheart dúinn bheith buartha faoin timpeallacht ar fud an domhain.

 c) Níl carranna úsáideach sa chathair.

 d) Úsáideann tíortha éagsúla a lán fuinnimh.

 e) Níl an téamh domhanda go holc sna tíortha saibhre.

 f) Níl an truailliú go holc sa chathair.

 g) Is cuma le cuid mhór daoine faoin timpeallacht.

 h) Tá a lán truaillithe inár n-uisce nádúrtha.

 i) Tá na sléibhte truaillithe.

 j) Tagann truailliú ó ghluaisteáin.

LISTENING

You listen to an announcement from the Geography Department in school. Answer the questions which follow **in English**.

    a)   What group is arranging to meet?

    b)   When are they arranging to meet?

    c)   Who is invited?

    d)   What is the aim of the meeting?

LISTENING

You listen to a pupil telling your class how they can help the environment. Answer the questions which follow **in English**.

    a)   What environmental issue is the pupil talking about?

    b)   Name two materials that can be used to do this.

    c)   Name two ways in which the brown bin can be used.

LISTENING

You listen to a teacher giving advice to a class on how they can help the environment:

1.   Write down the numbers of these symbols in the order that you hear them:

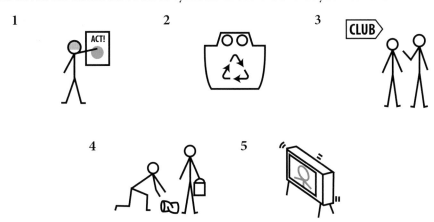

2.   The teacher then asks the class how they can help the environment at home. Write down the numbers of these symbols in the order that you hear them:

Read the article below and then answer, **in English**, the questions which follow.

Here is some vocabulary to help with this exercise.

An cháin	The tax
Mar gheall air sin	Because of that
Athchúrsáil	Recycle
A lán tíortha	A lot of countries
An rialtas ó dheas	The southern government
Airgead breise	Additional money
ag déanamh aithrise	Imitating
An timpeallacht a chaomhnú	To preserve the environment

Cáin ar mhálaí plaisteacha

Tá an cháin ar mhálaí plaisteacha in Éirinn ag cuidiú go mór leis an timpeallacht, de réir an rialtas ó dheas. Tá níos mó ná €120 milliún saothraithe ag an rialtas ó tháinig an chain ar an saol sa bhliain 2002. Cosnaíonn mála plaisteach 15 cent agus mar gheall air sin, ní bhíonn daoine ag iarraidh iad a cheannach.

Baineann an rialtas úsáid as an airgead breise le feabhas a chur ar sheirbhísí áitiúla. Chomh maith leis sin, téann cuid den airgead ar rudaí nua a chuidíonn leis an timpeallacht a chaomhnú.

Ní chaithfidh daoine málaí a cheannach nuair a théann siad ag siopadóireacht. Tugann siopaí málaí páipéir do chustaiméirí anois. Is féidir na málaí páipéir seo a athchúrsáil. Fosta, glacann daoine málaí móra troma chuig na siopaí agus baineann siad úsáid astu arís. Ní dhéanann daoine dearmad ar na málaí céanna a ghlacadh ar ais chuig an siopa leo.

Tá an cháin ag cuidiú go mór le fadhb an bhruscair in Éirinn fosta. Ag am amháin caitheamh níos mó ná billiún mála ar shiúl in aon bhliain amháin!

Anois tá a lán tíortha ar fud an domhain ag déanamh aithrise ar shampla na hÉireann – feiceann siad na buntáistí a bhaineann le cáin ar na málaí plaisteacha. Tá an cháin le fanacht go cinnte.

Cuardaigh an leagan Gaeilge do na focail seo sa sliocht:

Plastic bag tax =

Government =

Recycling =

Answer, **in English**, the following questions.

    a)   According to the article, what is the main advantage of this tax?

    b)   When was the tax implemented?

    c)   How much revenue has it raised?

    d)   How is the money raised used? Make two points.

    e)   According to the article, what can people do instead of buying plastic bags? Make two points.

    f)   What else has improved as a result of the tax?

    g)   What final point illustrates the success of the plastic bag tax?

Study these words to help you with the next couple of exercises.

Vocabulary assistance:

Listen to the words below and write them out in the order in which you hear them.

a)	Athrú aeráide	climate change
b)	Athchúrsáil	recycling
c)	Athúsáid	reusing
d)	Caomhantas	conservation
e)	Téamh domhanda	global warming
f)	Truailliú	pollution
g)	Bruscar	rubbish
h)	Dualgas pearsanta	personal responsibility
i)	Córas iompair phoiblí	public transport system
j)	Fuinneamh	energy
k)	Cúrsaí timpeallachta	environmental issues

Practice the pronunciation of these words. Listen and repeat.

READING

Read the article below and then answer, **in English**, the questions which follow.

Cúrsaí Timpeallachta

Cad é mar a chuidíonn tú leis an timpeallacht?

Bíonn a lán cainte na laethanta seo ar chúrsaí timpeallachta. Cluinimid faoin athrú aeráide, téamh domhanda agus athchúrsáil ar an nuacht gach lá. Bíonn tíortha ag obair le chéile le réiteach a fháil ar na fadhbanna móra seo. Ach cad é mar is féidir leis an duine aonair cuidiú leis an timpeallacht?

1. Tig leat cannaí, buidéil phlaisteacha agus cairtchlár a athchúrsáil.

2. Bain úsáid as níos lú uisce.

3. Bain úsáid as uisce fearthainne – cuir an t-uisce i mbuicéid agus bain úsáid as sa ghairdín nó leis an charr a ní.

4. Múch soilse, ríomhairí agus an teilifíseán le fuinneamh a shábháil.

5. Bain úsáid as rudaí arís – gloine, cannaí, páipéar agus málaí plaisteacha.

6. An bhfuil cóip chrua de dhíth ort ón ríomhaire? Ná priontáil!

7. Bain úsáid as seirbhísí poiblí. Siúil. Ná glac an carr.

8. Téigh chuig an ionad athchúrsála i do cheantar féin gach seachtain.

Answer the following questions **in English**.

a) What three things are heard about on the news every day?

b) What are countries doing to solve the problem?

c) What does point 1 say?

d) What do points 3 and 4 say about water?

e) How, according to point 4, can we save energy?

f) Name four things you can reuse, according to this article.

g) What does point 7 suggest?

h) How often should you go to the recycling centre in your area?

Cad é mar chuidíonn tú féin leis an timpeallacht?

SPEAKING

Use the article above to answer this question. Write in the present tense.

Write down, in Irish, a list of things that you do to help the environment. Once you have your list, pair up with someone in your class. Take turns to read out the items on your lists. Write in anything that your partner has on their list that you don't have.

READING

Léigh an t-alt seo agus freagair na ceisteanna a leanas. Seo cúpla focal le cuidiú leat.

Tinte aitinn	Gorse fires	Grianghraif	Photographs
Na hiarrachtaí	The efforts	A mhúchadh	Extinguish
Thuaidh is theas	North and south	Ainmhithe	Animals

Tinte Aitinn i nDún na nGall le feiceáil ag NASA

Thaispeáin NASA go bhfuil na tinte aitinn ar Shliabh Mhucais agus sna Beanna Boirche le feiceáil go soiléir ón spás. Sna grianghraif tá tinte le feiceáil in áiteanna eile ar fud na hÉireann fosta ó 700 ciliméadar in airde san aer. Tá an t-aerfhórsa ag cuidiú anois leis na hiarrachtaí chun tinte aitinn mhóra in aice leis an Fhál Carrach a mhúchadh. Thosaigh na tinte ar maidin inniu agus tá siad ag cur **brú** millteanach ar na seirbhísí bhriogáid dóiteáin agus ar mhuintir na háite. Fuair an bhriogáid dóiteáin smacht ar na tinte i Maigh Eo ach tá cúrsaí go holc i roinnt contaetha eile thuaidh is theas.

Tá an-damáiste déanta don timpeallacht nádúrtha cheana féin. Tá an toit **ag cur isteach ar** phlandaí, ar ainmhithe agus ar **éin**. Tá na céadta acra de thalamh móna **á scriosadh**. Tagann cuid mhór cuairteoirí chuig na háiteanna galánta seo ar saoire nó le siúlóid sléibhe a dhéanamh. **Mar sin de** tá an **buaireamh** ann fosta go gcuirfidh na tinte seo isteach ar phoist a bhaineann le **turasóireacht** agus le h**oidhreacht**.

DICTIONARY

Aistrigh go Béarla na focail atá **faoi chló trom.**

1. Freagair na ceisteanna seo.

   a) Ainmnigh **dhá** chontae ina raibh tinte aitinn le feiceáil ón spás.

   b) Cén uair a thosaigh na tinte?

   c) Ainmnigh grúpa amháin atá ag cuidiú leis na tinte a mhúchadh.

   d) Luaigh rud amháin atá scriosta mar gheall ar na tinte.

2. Líon isteach na bearnaí ag baint úsáide as na frásaí thíos.

   a) Tá _____tinte aitinn ar fud na hÉireann.

   b) Tá _____ ag obair go crua le stad a chur leis na tinte.

   c) Tá tinte le feiceáil _____ agus sa Deisceart.

   d) _____ daoine sna sléibhte seo go minic nuair a thagann siad ar laethanta saoire.

| sa Tuaisceart | a lán | siúlann | na cuairteoirí |
| gach áit | an t-aerfhórsa | cúpla | stopann |

WRITING

You are setting up a stall at a country fair to try to persuade local people to be more environmentally friendly. To help you with this you should produce a leaflet to persuade people why they should protect the environment. Let them know what will happen if they don't protect it.

Put a special section on your poster for families. Tell them what they can do as a family and encourage children to help they parents do more for the environment. Children could also help in their schools. Say what your school is doing to help the environment and say what you think of these efforts.

Your opinions on all these areas will be very important so make sure you give them. You can try this leaflet out on your class to see if they think it is persuasive enough.

When you have prepared your notes or plan to write this leaflet, time yourself and see how much you can write in one hour. You should try to write up to 300 words if you can.

Context 2
Citizenship
2D: Media and Communications

By the end of this unit, you will be able to understand vocabulary relating to media and communication topics and you will be able to produce a piece in speech and writing on this topic. You will be able to talk and write about different types of media and forms of communication and express preferences and likes/dislikes of different types of media. You will also have the opportunity to examine the differences between technology now and in the past.

The main areas covered will be:

- Media and forms of communication
- Types of media
- Differences between technology - Developments in technology

You will also explore grammar relating to:

- Present Tense - Negative and Positive
- Prepositions
- "Is" sentences – the copula
- Indirect speech

Cad é do bharúil?

1a. Working with a partner ask them about types of music they like and note down their answers with a tick when you copy the table below.

You could ask them:

An maith leat popcheol?

An bhfuil dúil agat i rac-cheol?

	Níl dúil dá laghad agam ann ☹☹	Níl dúil agam ann ☹	Tá dúil agam ☺	Tá dúil mhór agam ann ☺☺	Tá mo chroí istigh ann ♥
popcheol					
rac-cheol					
snagcheol					
ceol réabh					
ceol clasaiceach					
na gormacha					

It may help you with this exercise if you look in the grammar section under 'prepositions' and look for the preposition 'i'.

Síneadh

Design your own table and ask your classmates' opinions on different types of TV programmes/films/books. These phrases may be used to help express opinions:

Saibhreas

Tá mo chroí istigh i....	I really love....
Cuirim an-spéis i....	I am extremely interested in....
Tá suim as cuimse agam i....	I am extremely interested in....
Bainim sult as....	I enjoy....

SPEAKING

PAIR WORK

1b. Take turns to ask and answer these questions. Remember to give a reason for your opinions.

    (i)   An maith leat bheith ag amharc ar an teilifís?

    (ii) Cén clár teilifíse is fearr leat?

    (iii) An maith leat bheith ag éisteacht le ceol?

    (iv) Cén t-amhrán is fearr leat?

    (v) Cén ceoltóir is fearr leat?

    (vi) Cén grúpa ceoil is fearr leat?

    (vii) An maith leat bheith ag léamh?

    (viii) Cén leabhar is fearr leat? Cén t-údar is fearr leat?

Freagraí Samplacha:

Is maith liom bheith ag amharc ar an teilifís.

Is fearr liom *Glee* mar tá suim mhór agam sa cheol.

Is breá liom Rihanna mar sílim go bhfuil guth iontach aici.

Is fearr liom *Harry Potter* mar tá sé suimiúil.

WRITING

Dialann Teilifíse

2a. Keep a diary of the TV programmes you watch in a week. Use the categories below to classify them.

    Clár réaltachta

    Sobal-dráma

    Clár faisnéise

    Clár oideachasúil

    Nuacht

    Coiméide

    Clár beochana

LISTENING

2b. Suim sa Léitheoireacht

Listen to this conversation between Seán and Orlagh. Answer the questions that follow **in English**.

    a)   Where is Seán going?

    b)   Who is the newspaper for?

    c)   What does Orlagh prefer to read? Why? (Give two reasons)

    d)   What does Seán buy when he has money? Why?

    e)   Why does Seán have to hurry?

2c An Scannán is Fearr Liom

Write an article (200-300 words) about the film you like best. Include the following things in your article:

- Teideal an scannáin
- Cén sórt scannáin atá ann
- An príomhcharachtar/na príomhcharachtair
- An plota
- An radharc is fearr leat
- Rud ar bith nár thaitin leat faoin scannán
- Cén fáth a bhfuil dúil agat sa scannán

leid: use the phrases you have already practised to express your opinion

2d. Turas go dtí an Phictiúrlann

Listen to the conversation between Pádraigín and Síle. Select the correct answer for each question.

1. Ba mhaith le Pádraigín dul go dtí an phictiúrlann:
    (i) maidin amárach
    (ii) tráthnóna amárach
    (iii) oíche amárach

2. Cén t-am a dtosóidh an scannán?
    (i) 7.45pm
    (ii) 8.00pm
    (iii) 8.15pm

3. Roghnaigh an freagra ceart:
    (i) Is maith le Síle scannáin ghrá.
    (ii) Ní maith le Síle scannáin ghrá.
    (iii) Is breá le Síle scannáin ghrá.

4. Cad é a dhéanfaidh Pádraigín amárach?
    (i) Cuirfidh sí scairt ghutháin ar Shíle.
    (ii) Cuirfidh sí ríomhphost chuig Síle.
    (iii) Cuirfidh sí téacsteachtaireacht chuig Síle.

An Teicneolaíocht Nua-aimseartha

READING

3a. Meaitseáil na focail leis na pictiúir.

1.

a) ríomhaire glúine

2.

b) seinnteoir dlúthdhioscaí

3.

c) teilifíseán

4.

d) ceamara digiteach

5.

e) raidió

6.

f) seinnteoir mp3

3b. Léigh an ríomhphost seo.

RE: Ríomhaire glúine

A Aintín Nóra,

Go raibh maith agat as an ríomhaire glúine a cheannaigh tú dom do mo bhreithlá. Tá mé an-sásta ar fad. Is aoibhinn liom bheith ag scimeáil ar an idirlíon. Bíonn sé iontach úsáideach don obair scoile fosta.

le grá

Sinéad

Léigh na ceisteanna a leanas.

  a) Cé a scríobh an ríomhphost seo?

  (i) Nóra

  (ii) Sinéad

  (iii) Máthair Shinéad

  b) Cad é a fuair Sinéad dá breithlá?

  (i) ríomhaire

  (ii) seinnteoir mp3

  (iii) ríomhaire glúine

  c) Tá Sinéad:

  (i) iontach sásta

  (ii) iontach míshásta

  (iii) iontach brónach

  d) Deir Sinéad go bhfuil an t-idirlíon

  (i) suimiúil

  (ii) úsáideach

  (iii) leadránach

READING

3c. Meaitseáil na ráitis leis na pictiúir chearta.

1.

a) Éistim le ceol air seo agus mé ag rith.

2.

b) Glacaim grianghraif leis seo.

3.

c) Is féidir liom ceol a íoslódáil air seo.

4.

d) Cuirim scairt ar mo chara leis seo.

5.

e) Amharcaim ar an nuacht air seo.

6.

f) Éistim le dlúthdhioscaí air seo.

LISTENING

3d. Listen to the following people talking. Write, **in English**, the Christmas present they received.

Clár　　**Brian**　　**Siobhán**　　**Ciarán**　　**Clodagh**　　**Peadar**

SPEAKING　**PAIR** WORK

3e. In pairs, see how many types of technology you can name within ten seconds.

Ádh mór oraibh!

Suimeanna agus Caitheamh Aimsire

4. Déan amach tábla duit féin agus meaitseáil gach ceist leis an fhreagra cheart.

   Sampla: A   =   2

   a) Cén scannán is fearr leat?

   b) An dtéann tú chuig an phictiúrlann?

   c) Cén suíomh idirlín is fearr leat?

   d) Cá mhéad teilifíseán atá agat sa teach?

   e) Cá mhéad ama a chaitheann tú ag amharc ar an teilifís gach lá?

   f) An mbaineann tú úsáid as an idirlíon?

   g) Ar léigh tú an tsraith leabhar 'Twilight'?

   h) Cén t-aisteoir is fearr leat?

   i) An bhfuil ríomhaire agat sa teach?

   j) Cén sórt guthán póca atá agat?

   1. Is maith liom 'eBay' ach is fearr liom 'facebook'.

   2. Tá mo chroí istigh sna scannáin 'Harry Potter'.

   3. Tá Blackberry agam agus is breá liom é.

   4. Is fearr liom Adam Sandler mar sílim go bhfuil sé iontach greannmhar.

   5. Níor léigh, ach chonaic mé na scannáin.

   6. Tá ceithre theilifíseán ar fad sa teach – ceann sa seomra suí, ceann sa chistin, ceann i seomra leapa mo thuismitheoirí agus ceann i mo sheomra leapa féin.

   7. Caithim idir uair agus dhá uair ag amharc ar an teilifís gach lá.

   8. Bainim. De ghnáth, caithim aon uair an chloig ar an idirlíon gach lá.

   9. Tá, agus tá ríomhaire glúine ag mo dheirfiúr freisin.

   10. Téim chuig an phictiúrlann corruair, nuair a thugann mo thuismitheoirí airgead dom.

Fógraí

5a.   Read the notice and answer the questions, **in English**, which follow.

> ## *TAIRISCINT SPEISIALTA*
>
> Reic mór ar threalamh leictreachais –
> raidiónna, seinnteoirí dlúthdhioscaí,
> seinnteoirí mp3
>
> Lacáiste 20% ar gach ceamara digiteach
>
> **Taispeáin an dearbhán seo agus faigh
> lacáiste 10% ar ríomhaire glúine!**
>
> Ar fáil Luan 10-Déardaoin 13 Iúil
>
> *Tuilleadh eolais: Tabhair cuairt ar an
> suíomh idirlín www.electricworld.com*

1.   Name three items included in the sale.
2.   Which item has a 20% discount?
3.   How can you get 10% off a laptop?
4.   How long do the special offers last?
5.   Where can you get more information?

5b.   You see the following advertisement in a newspaper. Read the notice and answer the
      questions that follow.

> # **LADY GAGA**
> Ceolchoirm Lady Gaga
>
> *Satharn 26 Meitheamh 2012*
>
> *Páirc an Chrócaigh, Baile Átha Cliath*
>
> Praghas: €80
>
> Ticéid ar fáil ó:
>
> Oifig Pháirc an Chrócaigh
> nó
> ón suíomh idirlín www.paircanchrocaigh.ie.

a) What is being advertised?

   (i) a disco

   (ii) a competition

   (iii) a concert

b) When will the event take place?

   (i) 26.06.12

   (ii) 26.07.12

   (iii) 26.08.12

c) The event will take place in:

   (i) Dublin

   (ii) Galway

   (iii) Belfast

d) Tickets for the event cost:

   (i) eighty pounds

   (ii) one hundred euros

   (iii) 80 euros

e) Tickets may be purchased online.

   (i) true

   (ii) false

An Bhfuil Guthán Póca Agat?

6a. Guthán Póca Caillte

Copy the table then listen to this conversation. Read the sentences below and select the correct answer.

	Abairtí	Fíor	Bréagach	Níl an t-eolas ann?
a)	Níl Eoin go maith.			
b)	Chaill Eoin a sheinnteoir mp3.			
c)	Chuir Eoin scairt ar a athair.			
d)	Is maith le hEoin cluichí ríomhaire.			
e)	Beidh fearg ar mháthair Eoin.			
f)	Chuir Eoin scairt ar na péas.			

6b. Labhair leis an duine in aice leat agus freagair na ceisteanna seo a leanas:

    a)   An bhfuil guthán póca agat?

    b)   Cén déantús ghuthán póca atá agat?

    c)   Cén uimhir ghutháin atá agat?

    d)   An gcuireann tú mórán teachtaireachtaí téacs?

    e)   An dtéann tú ar líne ar do ghuthán póca?

    f)   An bhfuil conradh agat?

    g)   An mbíonn an bille teileafón póca ard?

    h)   Cé a dhíolann an bille teileafón póca?

Ríomhphost ó Laethanta Saoire

7a. Léigh an ríomhphost seo agus freagair na ceisteanna a leanas.

TAG: Portaingéil

A Ghráinne, a chara,

Seo anois mé sa Phortaingéil agus caithfidh mé a rá go bhfuil an aimsir ar fheabhas. Siúlaimid go dtí an trá gach lá agus bím i mo luí faoin ghrian ag éisteacht le ceol ar mo sheinnteoir ipod. Anois agus arís téim isteach san fharraige nuair a éiríonn an ghrian róthe. Is aoibhinn liom bheith ag snámh san fharraige mar bíonn an t-uisce deas fionnuar.

Chuaigh muid chuig ceolchoirm aréir a bhí ar dóigh. Chuala Daidí fógra ar an raidió faoi agus bhí mé ar bís nuair a cheannaigh sé ticéid don teaghlach iomlán. Bhí mo cheamara liom agus ghlac mé neart grianghraf. Tá nasc idirlín san óstán mar sin déanfaidh mé iad a uaslódáil agus beidh tú ábalta iad a fheiceáil ar líne.

Níl ach cúpla lá fágtha agam anseo agus beidh brón orm dul abhaile. Tá bunadh na háite thar a bheith cairdiúil agus d'fhoghlaim mé cúpla focal Portaingéilise uathu. Is teanga iontach deas ach deacair í! Chuir mé aithne ar chailín darb ainm Sorcha as Gaillimh agus táimid iontach mór lena chéile. Ghlac mé a seoladh ríomhphoist agus cuirfidh mé ríomhphost chuici nuair a bheidh mé i mBéal Feirste arís. Tiocfaidh sí ar cuairt agus buailfidh tú léi ansin. Beidh an-chraic againn.

Beidh orm imeacht mar tá scuaine ann don ríomhaire! Feicfidh mé Dé Máirt thú.

Le grá,

Fionnuala

Saibhreas

ar bís	really excited
scuaine	a queue

a) Cé a scríobh an ríomhphost seo?

   (i) Mamaí

   (ii) Fionnuala

   (iii) Gráinne

b) Cad é mar a bhí an aimsir sa Phortaingéil?

   (i) Bhí an aimsir go measartha.

   (ii) Bhí an aimsir go holc.

   (iii) Bhí an aimsir thar barr.

c) Ar bhain Fionnuala sult as an cheolchoirm?

   (i) Bhain sí an-sult as an cheolchoirm.

   (ii) Shíl sí go raibh sé maith go leor.

   (iii) Níor bhain sí sult as an cheolchoirm.

d) An maith le Fionnuala an Phortaingéilis?

   (i) Níl dúil ag Fionnuala sna daoine ach is maith léi an teanga.

   (ii) Tá dúil ag Fionnuala sna daoine agus sa teanga.

   (iii) Tá dúil ag Fionnuala sna daoine ach ní maith léi an teanga.

Léigh na habairtí thíos agus cuir líne faoi **cheithre** abairt atá fíor.

a) Téann Fionnuala go dtí an linn snámha gach lá.

b) Ní thaitníonn an snámh léi.

c) Chuaigh sí chuig ceolchoirm aréir.

d) Chonaic a daidí fógra faoin cheolchoirm ar an teilifís.

e) Tá ceamara ag Fionnuala.

f) Níor bhain Fionnuala sult as an cheolchoirm.

g) Cuirfidh Fionnuala na grianghraif ar líne.

h) Tá Fionnuala ag dúil le filleadh abhaile.

i) Scríobhfaidh Fionnuala litir chuig Sorcha.

j) Bhí cuid mhór daoine ag fanacht leis an ríomhaire.

Ré na Teicneolaíochta

READING

8a. Read the article below and answer, **in English**, the questions that follow.

Fadó, bhí an saol i bhfad níos simplí. Scríobh daoine litreacha chuig cairde a chónaigh fada ar shiúl uathu. D'éist siad le ceol ar an raidió nó ar théipthaifeadán. In amanna tháinig an téip amach agus d'éirigh sé greamaithe ar an taobh istigh den téipthaifeadán.

Ní raibh ach teilifíseán amháin sa teach de ghnáth agus ní raibh ach trí bhealach air. Bhí ort éirí leis an bhealach a athrú mar ní raibh cianrialtán ann. Craoladh cláir theilifíse i rith an lae agus stop an craoladh san oíche. Bhí aeróg ar dhíon an tí agus go minic cailleadh an pictiúr nuair a bhí drochaimsir ann.

Ach tá athrú mór ar an teicneolaíocht sa lá atá inniu ann. Tá ríomhairí i ngach áit agus go mion minic bíonn nasc idirlín sa teach ag daoine. Téann siad ar líne agus cuireann siad ríomhphost nó teachtaireacht mheandrach chuig cairde i gcéin. Ní amháin sin, ach éisteann daoine le ceol ar sheinnteoir MP3 nó ar ipod agus íoslódálann siad ceol ón idirlíon. Is annamh a cheannaíonn daoine dlúthdhioscaí anois.

Chomh maith leis sin, tá teilifíseán i mbeagnach gach seomra sa teach ag daoine. Bíonn rogha ann idir na céadta bealach teilifíse agus craoltar na cláir 24 uair sa lá. Is féidir amharc ar chláir theilifíse ar an idirlíon fosta.

An dtig leat an leagan Gaeilge de na focail seo a aimsiú san alt?

long ago	stuck	usually	during the day
very often	far away	not only that	nowadays
rarely	as well as that	a choice	

Answer the following questions **in English**.

a) According to the article, how did people contact friends who lived far away?

b) Name two ways people used to listen to music.

c) What was the disadvantage of tapes?

d) How many television channels did people have?

e) What happened in bad weather?

f) What do most people have in the house nowadays?

g) Name two ways mentioned in the article that people contact each other nowadays.

h) Why do people rarely buy CDs now?

i) Name one difference, mentioned in the article, between televisions now and long ago.

j) Where can you also watch TV programmes, according to the article?

SPEAKING **GROUP WORK**

8b. In groups, talk about the advantages and disadvantages of modern technology. Present your ideas to the class.

SAIBHREAS

Bain úsáid as na focail/frásaí seo le cuidiú libh:

Sílim/is dóigh liom go bhfuil cuid mhór buntáistí leis an teicneolaíocht nua-aimseartha
    I think there are a lot of advantages to modern technology

i dtús báire	firstly
chomh maith leis sin/ina theannta sin	as well as that
i ndeireadh na dála	at the end of the day
áfach	however

An dtuigeann tú na focail seo?

leabhar	a book
nuachtán/páipéar nuachta	a newspaper
raidió	a radio
teilifíseán	a television set
clár teilifíse/raidió	a TV/radio programme
scannán	a film
fógra	an advertisement/notice
ceamara digiteach	a digital camera
ríomhaire glúine	a laptop
ceamara gréasáin	a webcam
an t-idirlíon	the internet
nasc idirlín	an internet connection
suíomh idirlín	an internet site
caife idirlín	an internet cafe
ríomhphost	an email
seoladh ríomhphoist	an email address
bheith ag scimeáil ar an idirlíon	to surf the internet

9.   Writing exercise: Health and lifestyle

As part of your local studies you have been asked to write a report in Irish comparing people's lifestyle now with people's lifestyle in the past. You will have to do some research on this. This research may be on the computer or it may just be talking to an older person you know.

When you are researching make sure you look at some of the ways people used to live. Show the advantages and disadvantages of their lifestyle now and then. Compare how this lifestyle has changed from years ago and give your opinions on whether or not today's lifestyle is better or worse. Give some examples of how things have changed over the years.

When you have prepared your notes or plan to write this article, time yourself and see how much you can write in one hour. You should try to write up to 300 words if you can.

An tIdirlíon

10a. Léigh an t-alt thíos.

Bíonn ríomhairí gach áit ar na saolta seo. Bheadh sé deacair an saol a shamhlú gan iad agus gan an t-idirlíon. Ní féidir a shéanadh go bhfuil cuid mhór buntáistí leo. Tá a lán eolais ar líne agus cuidíonn an t-idirlíon linn an obair scoile a dhéanamh. Is féidir éisteacht le ceol agus amhráin a íoslódáil ar líne. Is féidir chóir a bheith rud ar bith a cheannach ar líne sa lá atá inniu ann – ní chaithfidh tú an teach a fhágáil. Is buntáiste é seo do sheandaoine go háirithe.

Ní amháin sin, ach is féidir dul i dteagmháil le daoine a chónaíonn thar lear saor in aisce. Níl le déanamh ach teachtaireacht mheandrach a chur nó labhairt ar cheamara gréasáin. Chomh maith leis sin, is féidir fáil amach faoi rud ar bith atá ag tarlú ar an domhan ach cnaipe a bhrú.

Ar an láimh eile, áfach, tá neart míbhuntáistí agus contúirtí leis an idirlíon. In amanna caitheann déagóirí barraíocht ama ar líne agus ciallaíonn seo nach bhfaigheann siad go leor aclaíochta. Chomh maith leis sin, cuireann sé isteach ar an obair scoile. Nó in amanna eile tarlaíonn bulaíocht ar líne ar shuíomhanna sóisialta. Ní amháin sin, ach ní féidir leat bheith cinnte cé leis a bhfuil tú ag caint mar ní fheiceann tú an duine.

Saibhreas

ar na saolta seo	nowadays	go háirithe	in particular
ní féidir a shéanadh	one cannot deny	ach cnaipe a bhrú	by pressing a button
chóir a bheith	almost		

Freagair na ceisteanna a leanas.

a) (i) Níl mórán ríomhairí ann sa lá atá inniu ann.

   (ii) Tá cúpla ríomhaire ann sa lá atá inniu ann.

   (iii) Tá cuid mhór ríomhairí ann sa lá atá inniu ann.

b) (i) Tá an t-idirlíon úsáideach do sheandaoine.

   (ii) Tá an t-idirlíon róchasta do sheandaoine.

   (iii) Ní úsáideann seandaoine an t-idirlíon.

c) (i) Bíonn sé deacair eolas a aimsiú ar líne.

   (ii) Bíonn sé measartha deacair eolas a aimsiú ar líne.

   (iii) Bíonn sé furasta eolas a aimsiú ar líne.

d) (i) Tá míbhuntáistí leis an idirlíon, ach níl contúirtí.

   (ii) Níl míbhuntáistí ar bith leis an idirlíon.

   (iii) Tá míbhuntáistí agus contúirtí leis an idirlíon.

Léigh na habairtí thíos. Coipeáil an tábla agus ansin cuir tick sa bhosca cheart.

	Abairtí	Fíor	Bréagach	Níl an t-eolas ann?
a)	Tá cuid mhór eolais ar fáil ar an idirlíon.			
b)	Úsáideann mná an t-idirlíon níos minice ná fir.			
c)	Bíonn tú ábalta éisteacht le ceol ar an idirlíon.			
d)	Bíonn se costasach labhairt le daoine ar líne.			
e)	Níl maitheas ar bith san idirlíon.			

10b. Labhair leis an duine in aice leat. Cuir agus freagair na ceisteanna seo.

- An bhfuil ríomhaire (glúine) agat sa teach?
- An mbaineann tú úsáid as an idirlíon?
- Cá fhad a chaitheann tú ar an idirlíon gach lá/sa tseachtain?
- Cad iad na suíomhanna idirlín a úsáideann tú?
- An gceannaíonn tú rud ar bith ar líne?
- An éisteann tú le ceol ar líne?
- An íoslódálann tú ceol?
- An bhfuil buntáiste ar bith leis an idirlíon?
- An bhfuil míbhuntáiste ar bith leis an idirlíon?

Vocabulary list

Media and Communications: Useful Vocabulary

aeróg	an aerial
ar líne	online
bealach	a channel
bille teileafón póca	mobile phone bill
ceamara digiteach	a digital ceamara
ceamara gréasáin	a web cam
ceol a íoslódáil	to download music
cianrialtán	a remote control
cluiche ríomhaire	a computer game
conradh	a contract
craoladh	a broadcast
fógra	an advertisement
fón póca/soghluaiste	a mobile phone
greannán	a comic book
grianghra(i)f a uaslódáil	to upload a photograph/photographs
guthán póca/soghluaiste	a mobile phone
an t-idirlíon	the internet
ar an idirlíon	on the internet
ag scimeáil ar an idirlíon	surfing the internet
iris(í)	a magazine/magazines
nasc idirlín	an internet connection
nua-aimseartha	modern
nuachtá(i)n	a newspaper/newspapers
páipéar/páipéir nuachta	a newspaper/newspapers
an plota	the plot
an príomhcharachtar	the main character
na príomhcharachtair	the main characters
radharc	a scene
reic	a sale
ríomhaire	a computer
ríomhaire glúine	a laptop
ríomhphost	email
ríomhphost a chur	to send an email
scairt ghutháin	a telephone call

seoladh ríomhphoist	an email address
seinnteoir dlúthdhioscaí	a CD player
seinnteoir mp3	an mp3 player
suíomh idirlín	a website
tairiscint speisialta	a special offer
téacsteachtaireacht	a text message
teachtaireacht téacs	a text message
teachtaireacht mheandrach	an instant message
teicneolaíocht	technology
teilifíseán	a television
téipthaifeadán	a tape recorder
trealamh leictreachais	electrical equipment

Context 2
Citizenship

2E: Celebrations, Festivals and Customs

By the end of this unit, you will be able to understand vocabulary relating to Celebrations, Festivals and Customs and you will be able to produce a piece of work in speech and in writing on this topic. The main areas covered will be:

- Celebrations and their dates
- Food and drinks
- Countries around the world
- Displays
- Sports

You will also explore grammar relating to:

- Verbs including the past tense
- Dates

Ócáidí Ceiliúrtha

Below is a list of festivals. With your classmates write the name of the festivals in English. Then write the month, in numbers, in which the festival normally occurs.

1) Lá Fhéile Bríde
2) Lá Fhéile Vailintín
3) Lá Fheile Pádraig
4) Lá na nAmadán
5) Lá na Máithreacha
6) Lá na nAithreacha
7) An Cháisc
8) Lá Bealtaine
9) Oíche Shamhna
10) An Nollaig
11) Oíche Chinn Bliana

Now put the festivals in order beginning with 1ˢᵗ January.

a   b   c   d

e   f   g   h

i   j   k

WRITING

Write the date, in words, for each festival. Start the festivals in order of date beginning with 1ˢᵗ January. An example is done for you.

Bíonn lá na nAmadán ann ar an chéad lá Aibreán

Finish writing this list with a very important date – your birthday!

Read how Seán spends every Christmas and answer the questions which follow.

Dia duit,

Is mise Seán. Tá mé seacht mbliana déag d'aois agus tá dúil mhillteanach agam sa Nollaig. An tseachtain roimh an Nollaig bíonn an teaghlach ar fad iontach gnóthach ag ullmhú don lá mór. Tagann mo dheartháir, Éamonn, abhaile trí nó ceithre lá roimh lá Nollag. Tá sé ar ollscoil i Learpholl agus is maith liom é nuair atá sé sa bhaile mar táimid iontach cóngarach dá chéile. Bíonn scéal greannmhar i gcónaí aige fosta agus bainim sult as a chomhluadar.

De ghnáth, bíonn jab beag ag gach duine againn. Dar ndóigh, bíonn ar mo mhamaí agus mo dheirfiúr mhór, Eithne, an chócaireacht a dhéanamh. Ní théim féin cóngarach don chistin. Bím féin amuigh le m'athair agus le hÉamonn ag scuabadh an chlóis agus ag cur soilse in airde. Ní maith liom an obair sin mar bíonn sé i gcónaí fuar ach is fearr liom sin ná bheith ag obair taobh istigh. Déanann mo dheirfiúr óg, Caitríona, an obair sin.

Tá Caitríona seacht mbliana d'aois agus is peata beag í. Ar oíche Nollag téimid a luí go luath i gcónaí mar bíonn Caitríona ag súil le Daidí na Nollag. Gach bliain bíonn sé iontach fial léi agus faigheann sí a lán bronntanas. I mbliana, fuair sí ríomhaire glúine agus rothar deas. Bhí sí iontach sásta. Ní raibh mé féin, mar d'éirigh sí ar a sé a chlog agus mhúscail sí an t-iomlán againn.

Bainim an-sult as lá Nollag mar is breá liom dinnéar na Nollag. Ithimid turcaí, glasraí, prátaí rósta agus liamhás. Bíonn milseog ghalánta ann fosta – maróg na Nollag. Bím lán go béal gach bliain. Caithimid an tráthnóna ag amharc ar scannáin, ag imirt cluichí agus ansin tugaimid cuairt ar mo sheanmháthair. Is é an rud is fearr faoin Nollaig ná go mbíonn an teaghlach ar fad le chéile.

1. Can you find these phrases in Irish in the passage?

    a) the family is busy preparing for Christmas

    b) close to each other

    c) expecting

    d) Christmas pudding

    e) The best thing about Christmas is...

Saibhreas

'Tá meilleog agus maróg air.'

See if you find the meaning of this phrase, if you can't, ask your teacher.

2. Use the previous passage and arrange the pictures (A-F) below in the correct order showing which thing happens first through to the last thing to happen.

a

b

c

d

e

f

3. Léigh an t-alt arís agus freagair na ceisteanna a leanas.

1. Tá Seán _____ bliain d'aois
    (i) 17
    (ii) 18
    (iii) 19

2. Cad é a shíleann Seán faoin Nollaig?
    (i) Is maith leis an Nollaig.
    (ii) Ní maith leis an Nollaig.
    (iii) Is cuma leis faoin Nollaig.

3. Cad é mar a réitíonn Seán agus a dheartháir Éamonn?
    (i) Réitíonn siad go maith le chéile
    (ii) Ní réitíonn siad go maith le chéile
    (iii) Ní labhraíonn siad

4. Cén sórt duine é Éamonn?
    (i) Is duine ciúin é
    (ii) Is duine greannmhar é
    (iii) Is duine dáiríre é

5. Déanann _____ obair an tí.
    (i) Seán
    (ii) Éamonn
    (iii) Caitríona

6. Éiríonn Caitríona _____ ar lá Nollag

(i) go luath

(ii) go mall

(iii) ar leath i ndiaidh a seacht

4. Cuir líne faoi 3 ráiteas atá fíor.

   a) Tá Seán ina chónaí faoin tuath.

   b) Imríonn Seán peil.

   c) Cuidíonn an teaghlach ar fad don Nollaig.

   d) Is í Caitríona an duine is sine sa teaghlach.

   e) Bíonn sé fuar ag an Nollaig.

   f) Itheann Seán dinnéar mór don Nollaig.

WRITING

5. Use the passage to help you write an account of how you usually spend Christmas Day. Make sure you write about the things you like and dislike, giving reasons why.

   Before starting the next section go to the 'Past Tense' in the grammar section of the book and look at how the past tense is formed. Remember to look at verbs that start with a vowel as well.

   Underline ten verbs in the passage above. Once you have identified the verbs write them out in the past tense.

   For example:

Verb	Meaning	1st person past tense	3rd person past tense
Téigh	Go	Chuaigh mé	Chuaigh sé/ sí

   Téigh is an irregular verb. The irregular verbs can look a lot different in the past tense compared to the regular verbs.

   An example of a regular verb:

Verb	Meaning	1st person past tense	3rd person past tense
Bain	Extract	Bhain mé	Bhain sé / sí

   You can see in this case that a 'h' (séimhiú) has been inserted after the first letter of the verb with no other changes.

   After you have identified your verbs, write a short account of how you spent last Christmas.

LISTENING

Listen to this recording about how Pádraig and Nóra spent Christmas. Answer the questions **in English**.

   a) What was the only negative thing about Christmas?

   b) What two presents did Pádraig get?

   c) Why did Pádraig deserve the presents? Give two reasons

   d) When will the event take place?

e)   Why can't Pádraig's cousin go?

f)   How will they spend the day before the event?

g)   Why can Pádraig not go on the train?

h)   How will they travel to and from Belfast?

Read the following passage.

Oíche Chinn Bliana

Gach bliain bíonn ceiliúradh mór i Sydney na hAstráile le fáilte mhór a chur roimh an bhliain úr. Bíonn na sráideanna plódaithe le daoine agus ní bhíonn an trácht ábalta bogadh ar chor ar bith.

Tá clú agus cáil ar an ócáid agus bíonn an ceol is mó rath le cluinstin ar fud na hoíche ón bhliain sin. Bíonn daoine mór le rá i gcónaí ann ar an ardán agus ag na cóisirí.

Bíonn tinte cnámha ann thar an chuan i gcónaí ar mheán oíche agus bíonn an chraic ar fheabhas. Maireann an seó thart faoi uair a chloig agus bíonn na mílte duine páirteach ann. Amharcann níos mó ná milliún duine ar an cheiliúradh ar an teilifís, cuid mhaith acu in Éirinn. Baineann siad an-sult as ach bíonn sé iontach aisteach d'Éireannaigh, mar táimid aon uair déag ar chúl agus caithfimid fanacht an chuid is mó den lá go dtí an ceiliúradh in Éirinn.

Based on the passage above, answer the following questions **in English**.

a) Why does the celebration take place?

b) What is the result of the streets being full of people?

c) Where are famous people seen?

d) How long does the fireworks display last?

e) How do you know that people from other countries see the fireworks?

f) How do Irish people feel about the celebration? Make two points.

g) Why do they feel like this?

Listen to Pól and Róisín speaking about what they will do this weekend. Answer the questions which follow **in English**.

a)   Róisín feels

(i) sick

(ii) unhappy

(iii) great

b)   Róisín is going to

(i) a disco

(ii) a wedding

(iii) school

c) Who will drive to Galway?

(i) Róisín's sister

(ii) Róisín's father

(iii) Pól

d) How much of a discount will be given?

(i) 10%

(ii) 20%

(iii) 25%

Underline three sentences which are true.

1. Pól and Róisín are off school at the moment.

2. They will both go to the disco.

3. Róisín's sister lost her dress.

4. The wrong size of dress came.

5. Róisín and Pól live close to Galway.

6. Róisín and Pól live far from Galway.

SPEAKING

Speaking exercise: Your favourite festival

Pair up with someone in your class and conduct an interview with them as though you were a reporter for a local Irish language radio station. The interview should only take about 4 or 5 minutes in total.

Start by asking their name and some general details about themselves. They can be as inventive as they like with their answers. Then ask them about their favourite festival. Get as much background information on the celebration as you can including;

• Where and on what date it happens

• How many people normally attend

• What sort of things go on during the celebration

• Any parades that take place

• If any VIPs attend

Make sure you get their opinions on why this festival is their favourite festival. Thank them when they are finished and complete your radio report by signing off with your radio catchphrase: Is é seo _____(your name)_____ do (local radio station name) i (name a city) ag fágáil slán agus beannacht libh go dtí an chéad uair eile!

Cuireadh Breithlae - A Birthday Invitation

Ba mhór liom tú bheith i láthair ar ócáid mo bhreithlae. Beidh mé aon bhliain 'is fiche. Beidh an chóisir ar siúl i dTeach Tábhairne Mhic Cana i nDoire Dé hAoine 11ú Samhain. Tosóidh sí ar 8.30pm agus beidh bia ar fáil ar 9.00pm. Críochnóidh an oíche ar 1.00am. Beidh an grúpa ceoil ó Bhéal Feirste 'Faitíos' ag seinm agus beidh oíche go maidin ann. Má tá lóistín de dhíth ort cuir scairt ar an teach tábhairne le seomra a chur in áirithe. Ach déan sin gan mhoill mar níl mórán seomraí acu. Cuir scéala chugam, más féidir leat, roimh 1ú Samhain.

Do chara buan,

Shane

Léigh an cuireadh agus freagair na ceisteanna a leanas.

1. Cad é an ócáid a bheidh ar siúl?
2. Cá bhfuil an teach tábhairne suite?
3. Cá fhad a mhairfidh an oíche?
4. Cén fáth a gcaithfidh tú lóistín a chur in áirithe go luath?

Cóipeáil an tábla thíos agus ansin cuir tick sa bhosca cheart.

	Abairtí	Fíor	Bréagach	Níl an t-eolas ann?
a)	Tá teach tábhairne Mhic Cana suite i nDoire.			
b)	Beidh céad duine ag an chóisir.			
c)	Gheobhaidh daoine a théann ann bia.			
d)	Beidh grúpa ceoil áitiúil ag seinm.			
e)	Tá neart seomraí ag an teach tábhairne.			
f)	Ba mhaith le Shane freagra roimh an chéad lá de mhí na Samhna.			
g)	Beidh Shane 16.			
h)	Ní bheidh cead ag páistí bheith ann.			

Use the passage and the questions above to help you design an invitation for a celebration of your choice. Before you begin, find the following phrases which should be useful to you;

- I would like you to be present
- The party will be on
- Food will be available
- Send me a response

Listen to Mícheál speaking about All-Ireland Final Day.

a) This celebration takes place
   (i) in Autumn
   (ii) in Winter
   (iii) in Spring

b) The area of Dublin is
   (i) rural
   (ii) crowded
   (iii) quiet

c) The celebration for the team who wins
   (i) is at home
   (ii) is abroad
   (iii) is in Dublin

d) Mícheál was at the final
   (i) this year
   (ii) never
   (iii) when his team won

Listen to Peadar and Nuala speaking. Answer the questions which follow **in English**.

1. Why did Peadar enjoy the Céilí?
2. What two things were going on in the town centre?
3. Name two types of people who were at the event.
4. What was strange about Peadar eating sweets and chocolate?
5. What did Peadar do that night?
6. What problem did he have and what did he do to try to overcome it?

Naomh Pádraig

Read the following passage about how Séamus understands St Patrick's Day and answer the questions which follow **in English**.

Is é Naomh Pádraig Aspal na hÉireann agus bíonn Féile Naomh Pádraig ar siúl gach bliain ar an seachtú lá déag Márta. Bíonn ceiliúradh ag tarlú ar fud na hÉireann agus thar lear chomh maith. Bíonn paráidí móra le feiceáil i Meiriceá, san Astráil agus ar fud na hEorpa. Deirtear gur ghlac Pádraig an Chríostaíocht go hÉirinn níos mó ná míle agus cúig chéad bliain ó shin. Deirtear fosta gur chuir sé na nathracha ar fad den tír. Ní aontaíonn gach duine leis sin, áfach.

Gach bliain bíonn ceiliúradh ann. Tarlaíonn sé i rith an charghais ach go minic glacann daoine sos agus itheann siad milseáin nó rud éigin. Bíonn siamsaíocht ag tarlú agus caitheann Éireannaigh an tseamróg. Ar an drochuair, in amanna, téann daoine thar fóir leis an cheiliúradh agus ólann siad a lán alcóil. Bíonn roinnt daoine óga ag ól faoi aois agus is minic a bhíonn trioblóid ann.

Is breá liomsa Lá Fhéile Pádraig mar bíonn craic i gcónaí ann. Bíonn cúpla lá againn saor ón scoil agus bíonn cead againn milseáin a ithe. Bíonn cluichí móra peile ar siúl fosta agus bainim an-sult as sin mar tá mo chroí istigh sa pheil.

Answer the questions which follow **in English**.

1. What has St Patrick supposed to have done? Name one thing.
2. How long ago is it since he was in Ireland?
3. Name three things that Irish people do on the feast day.
4. What negative point is made about the occasion?
5. Give three reasons why Séamus especially enjoys it.

WRITING

Writing exercise: Festivals and customs

You have been asked to write an article about a celebration in Ireland. You could do some research on this celebration by talking to someone you know or by searching the internet. Make sure you include the background of the celebration and say where and when it is celebrated. Mention the main groups that take part. Don't forget to give your opinion of this celebration including its good and bad points.

When you have prepared your notes or plan to write this article, time yourself and see how much you can write in one hour. You should try to write up to 300 words if you can.

Foclóir: Celebrations, Festivals and Customs

ábhar	subject
ach	but
ach oiread	either
ádh	luck
ag ceiliúradh	celebrating
áfach	however
ar buile	furious
ar chúl	behind / at the back of
bainis	wedding
breithlá	birthday
bronntanas	a present
carghas	lent
ceiliúradh	a celebration
ceolchoirm	concert
chun tosaigh	ahead / to the fore of
cóisir	party
corn	trophy
deireadh seachtaine	weekend
de dhíth	needed
féile	festival
gléasta	dressed
i gcónaí	always
i láthair	present
i rith (an charghais)	during (lent)
lacáiste	reduction
ócáid	occasion
nós	habit / custom
paráid	parade
plódaithe	packed (full of people)
pósadh	marriage
scaifte	crowd
scéala	notification
siamsaíocht	entertainment
tinte cnámha	fireworks

Context 2
Citizenship
2F: An Ghaeltacht

By the end of this unit, you will be able to understand vocabulary relating to Gaeltacht areas and local customs in the Gaeltacht and you will be able to produce a piece of work in speech and in writing on this topic. The main areas covered will be:

- Local place names
- Gaeltacht courses
- Social events
- Local landmarks

You will also explore grammar relating to:

- The Present Tense
- The Past Tense

Reading

Read the following e-mail sent from the Gaeltacht.

Gluais

suite	situated	ag bun	at the bottom
loch mór	a large lough	in aice le	beside
ag stopadh i dteach	staying in a house	rang ceoil	music class

---

TAG: Dún Lúiche

A Threasa,

Tá mé anseo i nDún Lúiche. Tá an coláiste suite ag bun an Earagáil tríocha míle ó Leitir Ceanainn. Is ceantar an-deas ar fad é agus tá loch mór ann. Tá Ionad Cois Locha in aice leis an loch agus tá siopa, bialann agus amharcann san Ionad. Tá mé féin ag stopadh i dteach Mhín na bPoll, atá suite dhá mhíle ón choláiste. Siúlaimid chuig an choláiste gach maidin agus bíonn tuirse orm i gcónaí! Tá an teach deas agus tá bean an tí iontach cairdiúil.

Tosaíonn na ranganna gach maidin ar a deich agus bíonn sos ann don lón ar leath i ndiaidh a dó dhéag. Tosaíonn na ranganna arís ar leath i ndiaidh a dó tráthnóna agus bíonn spórt ann de ghnáth. Má bhíonn sé ag cur, bíonn rang ceoil nó damhsa ann sa Halla Mór.

San oíche, déanaimid rudaí difriúla. Oíche amháin, bíonn céilí ann agus oíche eile bíonn tráth na gceisteanna nó oíche cheoil. Sílim go mbeidh dioscó ann ag an deireadh seachtaine.

Tá an chraic ar dóigh anseo ach tá mé ag dúil le teacht abhaile go fóill!

Do chara,

Líosa

Decide if each statement is **Fíor** (true) or **Bréagach** (false).

1. Tá Dún Lúiche suite cois locha.
2. Tá pictiúrlann in Ionad Cois Locha.
3. Tá teach Mhín na bPoll suite in aice leis an choláiste.
4. Siúlann na scoláirí chuig an choláiste gach maidin.
5. Bíonn ranganna ann gach maidin agus gach tráthnóna.
6. Nuair a bhíonn sé ag cur, ní bhíonn rang spóirt ann.
7. Beidh céilí ag an deireadh seachtaine.
8. Níl Líosa ag iarraidh an Ghaeltacht a fhágáil.

You are going to hear Mairéad talking about her visit to the Gaeltacht. You will hear each recording twice. Answer **in English** the questions which follow:

Part 1:   1.   How long did Mairéad spend in Rann na Feirste?

          2.   How many pupils from Mairéad's school were staying in the house with her?

          3.   How does Mairéad describe Bean an Tí?

Part 2:   1.   What **two** things does Mairéad say about the location of the house?

          2.   Who is Mairéad now friendly with?

          3.   What does she say about next year's course?

Read the following Facebook chat between Síle and Caoimhín after they have returned from the Gaeltacht.

Síle
Bhuel, cad é mar atá tú anois?

Caoimhín
Go maith, a Shíle, ach tá tuirse orm.

Síle
Cén t-am ar tháinig sibh ar ais?

Caoimhín
Thart ar leath i ndiaidh a haon, cad é fút féin?

Síle
Leath i ndiaidh a dó. Bhí an bus mall mar bhí cailín amháin tinn ar an bhealach ar ais.

Caoimhín
Dia ár sábháil! Ar thaitin an cúrsa leat?

Síle
Thaitin, ach bhí trí seachtaine ró-fhada.

Caoimhín
Tá an ceart agat, b'fhearr liom cúrsa deich lá a dhéanamh.

Síle
Bhí an cúrsa costasach fosta.

Caoimhín
Bhí, cinnte, agus níl mórán airgid fágtha agam anois.

Síle
An mbeidh tú i dteagmháil leis an chailín sin Caitríona arís?

Caoimhín
Tá súil agam go mbeidh. Chuir mé teachtaireacht Facebook chuici ansin.

Síle
Ar dóigh. Caithfidh mé imeacht anois, tá mo mháthair ar shiúl agus caithfidh mé mo chuid éadaí a ní.

Caoimhín
Oíche mhaith...

Answer the questions which follow **in English**.

1. How does Caoimhín feel?
2. Why was Síle's bus later than Caoimhín's?
3. What did Síle think about the duration of the Gaeltacht course?
4. What does Caoimhín say regarding money?
5. What does Síle ask Caoimhín about Caitríona?
6. Why does Síle have to go? Mention two points.

LISTENING

You are going to hear Dónal talking about all his Gaeltacht experiences.

You will hear each recording twice. Answer, in English, the questions which follow.

Part 1:

1. Where is Teileann situated?
2. What does Dónal say about Teileann in relation to Dungannon?

Part 2:

1. When did Dónal start to go to Machaire Rabhartaigh?
2. What were the students allowed to do when the weather was warm?

Part 3:

1. When does Dónal want to go to Loch an Iúir?
2. Why may he not be able to go?

READING

Read the following statements from parents and students made on a Gaeltacht course's webpage about their experiences in the Gaeltacht and complete the exercise which follows.

Chuir mise mo chuid páistí uile chun na Gaeltachta. Bhí am den scoth acu agus nuair a tháinig siad ar ais bhí siad tógtha leis an Ghaeilge.
- Mícheál, An tIúr

Chuaigh mise go Rann na Feirste nuair a bhí mé ar scoil. Chuir mé aithne ar go leor daoine nua ann agus tá mé cairdiúil leo go fóill agus bímid ag labhairt Gaeilge le chéile go fóill.
– Aisling, Garbhachadh

Nuair a bhí mise sa chéad bhliain ar scoil, i bhfad ó shin, chuaigh mé chun na Gaeltachta i dTír Chonaill. Níor thaitin sé liom mar bhí mé ró-óg agus bhí cumha orm, agus shíl mé go raibh na rialacha iontach dian.
– Aoife, Dún Pádraig

Chuaigh mé féin agus mo dheartháir go Teileann i mbliana. Bhí an cúrsa an-mhaith ach ní raibh mórán daoine ag freastal ar an chúrsa. Tá súil agam go mbeidh níos mó daoine ann an bhliain seo chugainn.
– Ruairí, Ard Mhic Nasca

Choose the correct word to complete the following sentences:

beag   **sásta**   **cairde**   **ciúin**

an-mhaith   **cara**   **cliste**   **daoine**

1. Bhí am _____ ag páistí Mhícheáil sa Ghaeltacht.
2. Is _____ iad go fóill Aisling agus daoine ón Ghaeltacht.
3. Ní raibh Aoife _____ leis an Ghaeltacht mar ní raibh sí _____ go leor.
4. Shíl Ruairí go raibh líon _____ daoine ag freastal ar an chúrsa.

WRITING

Match the phrases to make complete sentences. An example has been done for you.

Sampla: A   =   4

a) Chuaigh mé chun na Gaeltachta...
b) Bhí an turas ar an bhus....
c) Bhain muid Tír Chonaill amach...
d) Cuireadh isteach sna tithe muid...
e) Thosaigh na ranganna gach maidin ar...
f) Bhí an aimsir...
g) Chuir mé...
h) Thaitin an cúrsa liom...
i) Tá mé anois...
j) Ba mhaith liom...

1. ...a deich agus chríochnaigh siad ar leath i ndiaidh a dó dhéag.
2. ...agus bhí mise sa teach céanna le mo chairde.
3. ...aithne ar mhuintir na háite agus ar go leor daoine nua.
4. ...anuraidh i mí Iúil.
5. ...ar leath i ndiaidh a sé tráthnóna.
6. ...cairdiúil le daoine nua.
7. ...go breá ach bhí sé fuar ó am go céile.
8. ...iontach fadálach agus bhí tinneas ar go leor daoine.
9. ...mar gur fhoghlaim mé Gaeilge.
10. ...pilleadh an bhliain seo chugainn.

Listen to some announcements made in a Gaeltacht college. Listen to the announcements and identify the four sentences that are true.

1. The céilí will finish at 10.30.
2. Each house will have a soccer team in the sport's day.
3. Each student must bring their own lunch to the trip to Ionad Cois Locha.
4. Students will be given a lift home from the céilí.
5. The sport's day will depend on the weather.
6. There will be a walk in the afternoon, beginning at 2.30 from the sport's hall.
7. Each house will enter a team in the sport's day.

Fógra faoi chúrsa Gaeltachta

Coláiste na Mara, Tír Chonaill

Dátaí: 14 Iúil – 29 Iúil

Ionad: Coláiste na Mara, Tír Chonaill

Aoisghrúpa: 11 bliain d'aois – 15 bliain d'aois

Táille: £450stg nó €700 (níl costais taistil san áireamh)

Eolas faoin chúrsa:

- Beidh ranganna Gaeilge ann gach maidin agus ranganna ceoil/spóirt ann gach tráthnóna
- Beidh imeachtaí áirithe san oíche
- Caithfidh gach dalta iarracht a dhéanamh Gaeilge a labhairt i gcónaí
- Tá cead ag daltaí guthán póca a thabhairt leo ach níl cead é a úsáid sa seomra ranga
- Níl cead ag daltaí ríomhaire glúine a thabhairt leo
- Moltar do dhaltaí uirlisí ceoil a thabhairt leo
- Beidh banaltra ar fáil i rith an chúrsa ar fad

Le tuilleadh eolais a fháil, déan teagmháil le rúnaí an chúrsa ar 028 9976 5435 nó cuir ríomhphost chuig coláistenamara.ie

1. In what county will this Gaeltacht course take place?
2. What is not included in the cost of the course?
3. What type of events will take place each evening?
4. What must pupils always do?
5. Name two things that are not permitted.
6. Who will be available during the course?

You are on a visit to Glenveagh National Park, and you pick up the following information leaflet:

Stair Ghleann Bheatha

Rugadh John George Adair i gCo. Laoise agus sa bhliain 1857 cheannaigh sé eastát Ghleann Bheatha. Duine gan trócaire a bhí ann agus chuir sé ruaig ar 244 tionónta* as a dtithe sa bhliain 1861.

Phós sé bean darbh ainm Cornelia agus thosaigh sé ag tógáil an chaisleáin sa bhliain 1867. Fuair sé bás go tobann, áfach, sa bhliain 1885 ar an bhád agus é ar a bhealach ar ais as Meiriceá.

Nuair a fuair a fear céile bás, d'fhan Cornelia sa chaisleán go dtí 1916.

Tá clú agus cáil ar na gairdíní i nGleann Bheatha agus tagann cuid mhór turasóirí ann gach bliain le hamharc ar na gairdíní agus ar na cineálacha plandaí atá ar fáil sna gairdíní.

(*tionónta = tenent)

Answer the following question **in English**.

1.　　　a)　What did John George Adair do in 1857?

　　　　b)　How is he described?

　　　　c)　What work did he undertake in 1867?

　　　　d)　What are the gardens in Glenveagh famous for?

2.　Cuir líne faoi thrí abairt atá fíor.

- Rugadh John George Adair i Sasana.
- Cheannaigh sé caisleán Ghleann Bheatha sa bhliain 1857.
- Ní duine cineálta a bhí ann.
- Ní bhfuair sé bás in Éirinn.
- Ní théann duine ar bith go Gleann Bheatha anois.
- Tá suim ag turasóirí i ngairdíní Ghleann Bheatha.

You are writing to your parents to let them know how your first week was on your Gaeltacht course. Since it has been a while from you have seen them write them a nice long letter. In your letter remind them of where you are staying in case they want to visit you.

Give them an idea of how the trip was and how many of your friends were with you on the bus. Make sure you tell them about the house that you are staying in and how the 'bean an tí' is. Let them know what you do after your classes and tell them if you like what you have to do. They will want to know about the céilí in the evening so don't forget that. Make sure they know if you are enjoying the course or not and why.

Try not to take anymore than 1 hour to write the letter.

Read the following description of a Gaeltacht Trip and complete the exercises which follow.

Gluai

anuraidh	last year
uile	all
mór le chéile	close (to each other)
chuir siad aithne ar	they go to know
ag foghlaim	learning

Chuaigh Seán agus a chairde chun na Gaeltachta anuraidh i gCorcaigh. **Bhí** siad uile sa tríú bliain ar scoil agus iad iontach mór le chéile. **D'fhág** siad Port an Dúnáin ar an chéad lá de mhí Iúil agus **bhain** siad Corcaigh amach go mall san oíche. **Mhair** an turas ocht n-uaire. An mhaidin ina dhiaidh, chuaigh siad chuig an choláiste agus **chuir** siad aithne ar na múinteoirí agus ar na scoláirí eile. Chuaigh siad isteach sna ranganna agus **chaith** siad ag mhaidin ag foghlaim Gaeilge. Bhí sé mar sin gach lá agus **d'fhoghlaim** siad cuid mhór Gaeilge. **Ní raibh** cead acu Béarla a labhairt sa rang! Gach tráthnóna agus oíche, **rinne** siad rudaí difriúla – bhí ranganna ceoil agus damhsa ann agus **d'imir** siad spórt fosta. **Thaitin** an cúrsa go mór leo agus rachaidh siad ar ais arís.

Go to the Grammar Section of the book and read up on the Future Tense.

Now look at the verbs, in the Past Tense, and try to into the Future Tense using what you learned from the grammar section.

> **Chuaigh** Seán
>
> **Bhí** siad
>
> **D'fhág** siad
>
> **Mhair** an turas
>
> **Chaith** siad
>
> **D'fhoghlaim** siad
>
> **Ní raibh** cead acu
>
> **D'imir** siad
>
> **Thaitin** an cúrsa go mór leo

The following sentences are similar to those used in the previous passage. Translate them by using the previous passage and the grammar notes on.

1. Máirtín and his friends went to France last year.
2. I left the house on the second of May last year.
3. The class lasted five hours.
4. She got to know her new friends.
5. They spent the morning playing football.
6. I wasn't allowed to speak Irish at school.
7. The teacher did a lot of different things.
8. I enjoyed the céilí a lot.

Topic: An Ghaeltacht

When you return to school you teacher wants to talk to you to find out how your Gaeltacht course was. So that you can use the Irish that you learned on the course try to prepare for your chat with your teacher.

Think about where you went to in the Gaeltacht, when you went and how you got there, describing the journey. Then be ready to tell them about accommodation, mentioning the food and the people with whom you were staying. Your teacher night want details about the Gaeltacht course so make sure you can talk about the different activities that took place. Remember to give your teacher your opinion about the Gaeltacht and whether you intend to return.

The following list of questions might be of some use to you. It is useful to know what they mean and be ready to answer them, if asked. To practice before meeting your teacher you could practice this with someone in your class. Keep it fairly short – about 5 or 6 minutes.

Ceisteanna Samplacha:

1. An raibh tú riamh sa Ghaeltacht?
2. Cad é mar a chuaigh tú ann?
3. Cé a bhí leat?
4. Cá raibh tú ag stopadh?
5. Déan cur síos ar an lóistín.
6. Cad é a rinne sibh gach lá?
7. Ar fhoghlaim tú mórán Gaeilge?
8. Ar chuir tú aithne ar dhaoine nua?
9. Cad é mar a bhí muintir na háite?
10. Ar thaitin an cúrsa Gaeltachta leat?
11. An rachfá ar ais?

Context 3
Employability
3A: School Life

By the end of this unit, you will be able to understand vocabulary relating to school life and you will be able to produce a piece in speech and writing on this topic.

The main areas covered will be:

- School facilities
- School subjects
- School timetable
- School types

You will also explore grammar relating to:

- Verbs commonly used with school subjects
- Numbers
- Aspiration and eclipse
- How to express possession in Irish

Ábhair scoile

Copy the table below. Make a small group of about 4 or 5 and write in the English word for each subject in the middle column. In the right-hand column say how many of your group like the subject by placing a tick for each person who likes it.

Irish	English	✓
Gaeilge		
Béarla		
Mata		
Fraincis		
Spáinnis		
Eolaíocht		
Ceimic		
Fisic		
Bitheolaíocht		
Stair		
Corpoideachas		
Teagasc Críostaí		
Saoránacht		
Ag Foghlaim don Saol agus don Obair		
Ceo		
Ríomhaireacht		
Staidéar Gnó		
Teicneolaíocht		

If there are some subjects you can't name try to swap some of yours with another group who also have some blanks.

Below are some verbs often used when talking about school subjects.

- Déanaim
- Foghlaimím
- Tá mé ag foghlaim
- Tá mé ag tabhairt faoi…

Samplaí

Déanaim Béarla ar an Luan.

Foghlaimím teanga níos gasta ná ábhar ar bith eile.

Tá mé ag foghlaim ceoil faoi láthair.

Beidh mé ag tabhairt faoin staidéar an tseachtain seo chugainn.

Look at the spelling of 'ceol' in the list above and compare this to the way it is spelt in the sentence. You can see that it has an 'i' (ceoil) in it now. This can happen when you use a phrase like 'ag foghlaim'. You can look at more examples of this in the grammar section.

Work with a partner this time and unscramble the code to reveal 10 school subjects. A sample has been done for you.

1. *élraBa*   =   *Béarla*
2. tsari
3. alggiee
4. atma
5. oletchaoí
6. eicotíeachotnl
7. nifascri
8. opdsahcciareo
9. olce
10. gascteaaírítcso

Clár Ama

Design your own timetable. You must include the five school days of the week, all the subjects you do and the number for each period. Insert the times in numbers. Show off your ICT skills – find an image to symbolize each subject and merge the cells for double periods.

Listen to Paul describe his school day. Answer the questions which follow.

1. What time does school begin?
2. What is Paul's first subject?
3. What happens at 11.00?
4. What time does school finish?

Work in pairs naming various times and days using the time-table you made up. Your partner must tell you what subject they are taking or what they do at that time. Try your best to use full sentences. An example is done for you.

Cainteoir 1: A haon a chlog Dé Luain.

Cainteoir 2: Bíonn lón agam.

Spend about 5 minutes on this exercise.

Reading exercise

Cineálacha Scoileanna - Cén cineál scoile ina bhfuil tusa?

Scoil ghramadaí

Scoil mheasctha

Ardscoil

Scoil chailíní

Scoil bhuachaillí

Bunscoil

Naíscoil

Gaelscoil

Ceardscoil

Ollscoil

Read the passage on what Séamas thinks about his school and subjects and then answer the questions.

Is mise Séamas agus tá mé i mo chónaí i nDún Geanainn. Tá mé ag freastal ar an Acadamh. Is scoil mheasctha í agus is scoil ghramadaí í. Tá mé i mBliain a dó dhéag. Tá tríocha mac léinn i mo rang foirme, ach ní bhímid uilig le chéile ach don Bhéarla, don Mhata agus don Eolaíocht. Tá fiche duine sa rang Gaeilge.

Faoi láthair, tá mé ag foghlaim naoi n-ábhar ar scoil; Gaeilge, Béarla, Mata, Teicneolaíocht, Eolaíocht, Ceol, Teagasc Críostaí, Spáinnis agus staidéar Gnó. Tá dúil mhór agam sa Teagasc Críostaí mar sílim go bhfuil sé suimiúil. Tá dúil as cuimse agam sa Stair mar sílim go bhfuil sí suimiúil agus sultmhar. Ach tá mo chroí istigh sa Ghaeilge mar is í mo theanga dhúchais í agus tá sí lán de chraic. Ar an drochuair níl dúil dá laghad agam sa Bhéarla mar sílim go bhfuil sé leadránach.

Léigh an t-alt agus scríobh an freagra i do leabhar.

a) Tá _____ ag freastal ar an scoil.

     (i) Cailíní amháin

     (ii) Buachaillí amháin

     (iii) Cailíní agus buachaillí

b) Tá Séamas ag freastal ar _____.

     (i) scoil ghramadaí

     (ii) scoil úr

     (iii) bhunscoil

c) Tá _____ dalta sa rang foirme

        (i) 20

        (ii) 25

        (iii) 30

d) Tá _____ daoine sa rang Gaeilge ná sa rang Béarla

        (i) níos mó

        (ii) níos lú

        (iii) a dhá oiread

e) Scríobh an freagra i do leabhar.

        (i) Is maith leis Gaeilge.

        (ii) Is fuath leis Gaeilge.

        (iii) Ní miste leis Gaeilge.

f) Scríobh an freagra i do leabhar.

        (i) Ní maith leis Béarla.

        (ii) Is breá leis Béarla.

        (iii) Is cuma leis faoi Bhéarla.

Can you find the following terms in the text above?

1. Interesting

2. Enjoyable

3. I have no interest in the least

4. Attending

5. Unfortunately

6. Boring

7. A huge interest

WRITING

Now try writing a sentence with the words or phrases in them.

Giving Opinions

Here are some simple ways of giving your opinion on anything, this time it happens to be school subjects. Write in what each sentence means.

  a) Is maith liom matamaitice.

  b) Ní maith liom ceol.

  c) Is fuath liom stair.

  d) Tá an staidéar gnó leadránach.

  e) Ní miste liom Fraincis.

  f) Tá dúil is cuimse agam sa chorpoideachas.

  g) Cuireann ríomhaireacht isteach orm.

Saibhreas

Here are some more adjectives for you to use when you are describing something.

Furasta	easy
Corraitheach	exciting
Úsáideach	useful
Casta	complicated
Deacair	difficult

You can also use verbs like 'Síl' to express an opinion. Look at the examples below and notice how the word structure changes.

  1. Tá mé cainteach i mo bhaile féin.

  2. Is ábhar simplí é an Béarla.

Look out for the changes in the way the sentence is structured.

  1. Síleann mo chairde *go bhfuil* mé cainteach i mo bhaile féin.

  2. Sílim *gur* ábhar simplí é an Béarla.

Copy the table below. Listen to these people describing their schools. Put a tick in the correct box.

Ainm / Cineál scoile	Scoil Ghramadaí	Ardscoil	Bunscoil	Ceardscoil
Pól				
Sinéad				
Brian				
Pól				

Listen to Seána talking about school. Choose the four statements that are true.

1. Is maith le Seána a scoil.
2. Ní maith le Seána a scoil.
3. Tá an scoil suite sa bhaile mhór.
4. Tá dúil ag Seána sa cheantar.
5. Síleann sí go bhfuil Béarla furasta.
6. Tá dúil mhór aici i nGaeilge.
7. Ní maith léi Béarla.
8. Ní dhéanann sí staidéar ar Theicneolaíocht

Writing exercise: Your school

You are going to the Gaeltacht for 3 months on a school-exchange scheme. The person you are swapping with would like to know about your school before they arrive. It is up to you to persuade them that your school has a lot to offer them and that they will enjoy their time there.

Write to them and let them know about your school and all your classmates. Give them some background to the school, how old it is, where it is situated and some other general information. Let them know what subjects you do and what one you like and dislike. Tell them your opinion of the school and why you like it so much.

When you have prepared your notes or plan to write this article, time yourself and see how much you can write in one hour. You should try to write up to 300 words if you can.

School Facilities

Look at the symbols and at the facilities in Irish and put the correct letter with the correct number.

1.

    a)   An Pháirc Imeartha

2.

    b)   An Ceaintín

3.

    c)   An Halla Tionóil

4.

    d)   An Halla Spóirt

5.

    e)   An Leabharlann

6.

    f)   An Léachtlann

7.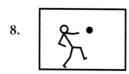

    g)   An Fáiltiú

8.

    h)   An Seomra Aclaíochta

9.

    i)   An Seomra Ríomhaireachta

10.

    j)   Seomra na nDaltaí

Oral Activity

Work in pairs. One person makes an action for each facility and the other must say it in Irish. Divide the facilities and see who can say them in the shortest time.

Written Activity

Read carefully over the facilities then cover your page. See how many you can name orally inside a minute and then how close you can get to the spelling in a second minute. Ask your friend to check your spelling. See who can get the most right!

Reading Activity

Read how Seán spends a normal school day and then put the correct letter in the correct order.

Seán

Músclaím ar a hocht a chlog agus éirím. Cuirim orm mo chuid éadaí. Ithim mo bhricfeasta ar cheathrú i ndiaidh a hocht agus fágaim an teach ar leath i ndiaidh a hocht. Téim chun na scoile leis an bhus ar fiche a cúig go dtí a naoi ag bun an lána.

Tosaíonn an scoil ar a naoi a chlog agus bíonn clárú deich nóiméad againn. Bíonn sos againn ar leath i ndiaidh a deich agus bíonn lón againn ar fiche go dtí a haon.

Críochnaíonn an scoil ar fiche i ndiaidh a trí. Tá mé i mo bhall den fhoireann peile agus beagnach gach lá, imrím peil i ndiaidh am scoile. Téim abhaile ar a cúig agus ithim mo dhinnéar. Caithim thart faoi uair go leith ag déanamh obair baile. Nuair a chríochnaím m'obair bhaile, amharcaim ar an teilifís. Téim a luí ar leath i ndiaidh a haon déag.

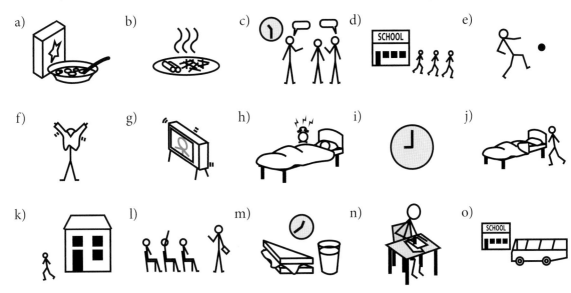

A conversation

You have a slot on the school radio to talk with a friend about school. Pair up with someone from your class and prepare the conversation. You can talk about a couple of general points about each other before starting to talk about the school.

After a few general points, talk more specifically about your school and your school experience saying what you like or dislike about the school and the subjects you study. When you say you like or dislike something also say why you like or dislike it. Talk about your favourite subjects and the days you study them.

This should only last for about 5 minutes in total.

Matching Exercise

Advantages/disadvantages associated with school.

Below is a list of opinions associated with school. Put them into two lists; advantages (buntáistí) and disadvantages (míbhuntáistí).

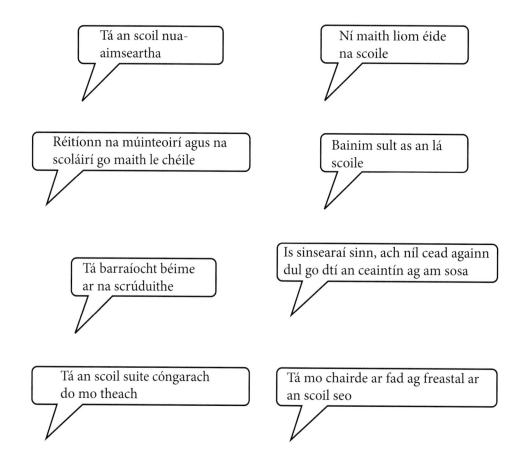

Take a look back at the vocabulary and structures you have learned while studying this unit. Use them to answer the following questions. Begin by matching the phrases below with the question they best fit.

1. Cad é an t-ainm atá ar do scoil?

2. Cén sórt scoile í?

3. Cá bhfuil an scoil suite?

4. Inis dom faoin ghnáthlá scoile.

5. Inis dom faoi na hábhair a dhéanann tú ar scoil.

6. Cad iad na háiseanna i do scoil?

7. An maith leat do scoil? Cén fáth?

8. Cad iad na míbhuntáistí a bhaineann leis an scoil?

9. Cad é a dhéanfaidh tú nuair a fhágfaidh tú an scoil?

a) Ba mhaith liom bheith i mo mhúinteoir.

b) Is Ardscoil í.

c) Tosaíonn an scoil ar a naoi a chlog agus bíonn clárú ann.

d) Tá dúil mhór agam i nGaeilge mar is í mo theanga dhúchais í.

e) Scoil na Mainistreach an t-ainm atá ar mo scoil.

f) Ní maith liom an bia sa cheaintín, sílim go bhfuil sé lofa.

g) Tá an scoil iontach nua-aimseartha.

h) Is breá liom mo scoil mar tá na múinteoirí deas.

i) Tá an scoil lonnaithe in Iúr Cinn Trá

Writing exercise: Country and city schools

You are trying to persuade a new friend that your school is in the best place possible. Write to your new friend and tell them how good your school is and why. Tell them about the advantages and disadvantages of a school in the city or in the country.

You might want to write to them about transport or noise levels; local facilities and the location of the local community. Make sure you make your opinions of your school really clear.

When you have prepared your notes or plan to write this letter, time yourself and see how much you can write in one hour. You should try to write up to 300 words if you can.

Foclóir: School Life

ábhar	subject
ach	but
Ach oiread	either
ádh	luck
ag freastal	attending
áiseanna	facilities / resources
álainn	beautiful
am	time
airgead	money
ar an drochuair	unfortunately
ardmháistir	headmaster
barraíocht	too much
bliain	year
bomaite	minute
buachaill(í)	boy(s)
buntáiste	advantage
cailín(í)	girl(s)
cairde	friends
ceacht	lesson
céad	first
ceantar	area
clárú	registration
clós	yard
daoine	people
dara	second
dalta	student
dúil	an interest or fondness
duine	person
éide scoile	school uniform
fadhb(anna)	problem(s)
faoin tuath	in the countryside
le chéile	together
lón	lunch
mac léinn / mic léinn	student / students
mall	late
míbhuntáiste	disadvantage
múinteoir	teacher
nóiméad	minute
nua-aimseartha	modern

obair bhaile	homework
príomhoide	principal
rang	class
scoláire	student
scrúdú	test
seanaimseartha	old fashioned
sinsearach	senior
sos	break
teanga	language

Context 3
Employability
3B: Part-time Jobs

By the end of this unit, you will be able to understand vocabulary relating to part-time jobs and their advantages and disadvantages and you will be able to produce a piece in speech and writing on this topic.

The main areas covered will be:

- Vocabulary around different types of work
- Places where people work
- Opinions about work
- Work duties
- Job titles

You will also explore grammar relating to:

- Verbs relating to work
- Adjectives describing opinions about work
- Structures with the verb 'Bí' and the preposition 'Ag'

An bhfuil Post Páirtaimseartha agat?

READING

Read the sentences below.

1. Tá post agam, oibrím sa siopa áitiúil. Faighim cúig phunt caoga san uair. Caithim an t-airgead ar éadaí nua agus cuirim cúpla punt i dtaisce gach seachtain

2. Níl post agam, ach cuidím le mo mháthair thart faoin teach – ním na soithí, folmhaím an miasniteoir, bainim an féar agus déanaim an folúsghlanadh – an obair is fuath liom.

3. Tá post agam, oibrím san óstán áitiúil i nDún Geanainn. Is freastalaí mé agus tá dúil mhór agam san obair mar tá sé sultmhar.

Read the text again and find the words in Irish for the English words in the table.

The money	Clothes	Week
Fifty	Dishes	Grass
Work	Waiter/waitress	

WRITING

Now find the verbs in the text and write in what they mean in English. A sample has been done for you. This time you don't need to mention the copula – Is.

1. Bí = Be

Consider the information you have just read. Now write a few sentences about the jobs you have had and the money you were paid. Don't forget to include opinions and justification where you can!

Here are some phrases to help you get started.

Tá post agam

Oibrím mar

Oibrím i

Faighim

Bainim sult as mar

Read what Sorcha says about her part-time job and choose the correct boxes.

Dia duit, is mise Sorcha. Tá post páirtaimseartha agam i siopa spóirt darb ainm O'Neills. Is siopa mór é in Iúr Cinn Trá. Díoltar éadaí agus trealamh spóirt sa siopa. Tá thart faoi dheichniúr againn ar an fhoireann oibre agus réitím go hiontach le gach duine. Ciara an t-ainm atá ar an bhainisteoir agus tá sí galánta ar fad. Tá mé ag obair ann le sé mhí anuas agus is breá liom an post. Ní bhíonn an obair ró-throm ach bím gnóthach gach lá. Ní oibrím ach ag an deireadh seachtaine. Caithim an t-airgead ar fad ar thicéid do cheolchoirmeacha.

Freagair na ceisteanna a leanas.

1. Tá Sorcha ag obair i siopa. Scríobh isteach na rudaí atá ar fáil sa siopa i do leabhar féin.

2. Cad é mar a réitíonn Sorcha leis na daoine eile atá ag obair sa siopa? Scríobh isteach an freagra i do leabhar féin.

3. Cad é mar atá an obair? Scríobh isteach an freagra i do leabhar féin.

4. Cá fhad atá Sorcha ag obair sa siopa? Scríobh isteach an freagra i do leabhar féin.

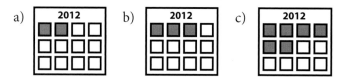

5. Caitheann sí a cuid airgid ar: Scríobh isteach an freagra i do leabhar féin.

Work in teams. Find five terms in the reading passage and quiz your opponents. You have two minutes to make up your questions and ten seconds to answer each one!

Listen to Éamann speaking about his new part-time job. Answer the questions which follow.

Choose **five** sentences that are true.

1. Éamann likes the work.
2. He saw the advertisement in the local newspaper.
3. He saw the advertisement online.
4. He did an interview in the owner's house.
5. He found out later that day that he got the job.
6. Éamann dislikes the owner.
7. He tries to save some money.
8. Éamann hates the long working hours.
9. He is happy with the amount of money he gets.

Writing exercise: comparing part-time jobs to your new job

Imagine that you are now working for a recruitment company. To help your clients you have been asked to write an article about part-time jobs you have had in the past. You have been asked to compare your past jobs with your present one in the recruitment company.

You could compare the hours you worked and the money you were paid to your current hours and wages. You could talk about working shifts at night or compare the people you worked with in the past to the people you are working with now. Don't forget to say what you like best about your old and current job and say why.

When you have prepared your notes or plan to write this article, time yourself and see how much you can write in one hour. You should try to write up to 300 words if you can.

READING

Read how Aoife spends her day at work and answer the questions which follow.

Is mise Aoife. Tá mé i mo chónaí sa Ghaeltacht i Loch an Iúir, atá suite cúig mhíle is fiche ó Leitir Ceanainn. Tá post páirtaimseartha agam i mbialann darb ainm Radharc na Mara. Is Óstán ceithre réalta é. Is freastalaí mise ach in amanna bím ag obair san fháiltiú fosta.

Bím ag obair Dé hAoine idir a cúig a chlog agus a haon déag, Dé Sathairn óna deich go dtí a cúig agus Dé Domhnaigh óna dó go dtí a hocht. Ó am go ham bíonn orm bheith ag obair ag ócáidí speisialta fosta mar shampla bainiseacha.

Seo iad na dualgais a bhíonn le comhlíonadh dom;

Freastalaím ar na custaiméirí – glacaim an t-ordú uathu, cuirim fáilte roimh dhaoine, tugaim comhairle do dhaoine maidir leis an bhia is deise, bím ag láimhseáil airgid, insím do na cócairí cad é atá le déanamh acu agus bíonn orm glanadh suas ag deireadh na hoíche.

Freagair na ceisteanna. Scríobh isteach an freagra i do leabhar féin.

    a)   Cónaíonn Aoife

        (i) i Leitir Ceanainn

        (ii) i lár Bhéal Feirste

        (iii) sa Ghaeltacht

    b)   Oibríonn Aoife

        (i) in amharclann

        (ii) ar fheirm

        (iii) i mbialann

    c)   Oibríonn Aoife _____ uair sa tseachtain de ghnáth

        (i) 19

        (ii) 22

        (iii) 17

    d)   Bíonn uaireanta breise le déanamh ag Aoife _____

        (i) gach seachtain

        (ii) go hannamh

        (iii) corruair

    e)   Is _____ í Aoife

        (i) bainisteoir

        (ii) cócaire

        (iii) freastalaí

READING

Aoife goes on to tell you what she does with the money she earns.

Faighim sé euro in aghaidh na huaire agus sílim go bhfuil sé sin réasúnta maith mar ní fhaigheann cuid mhaith de mo chairde an méid sin.

Caithim an t-airgead ar éadaí nua don chuid is mó – gúnaí deasa agus bróga atá fóirsteanach dóibh. Nuair atá mé saor ón obair téim go Leitir Ceanainn le mo chairde – Sinéad agus Cearúilín, go dtí an lár-ionad siopadóireachta agus caithimid an lá ar fad ag ceannach bia, éadaí agus dlúthdhioscaí ceoil. Is fearr liom féin popcheol ach níl dúil ar bith ag na cailíní ann – is maith leo féin rac-cheol.

Is breá liom mo phost mar is aoibhinn liom bheith ag bualadh le daoine nua an t-am ar fad ⊠ bíonn neart scéalta acu. Tá sé deas airgead bheith agam le rudaí a cheannach dom féin agus bheith measartha neamhspleách ó mo thuismitheoirí.

Ar an taobh eile, ní maith liom bheith ag obair go mall san oíche mar bím iontach tuirseach ag éirí an lá dar gcionn. Chomh maith leis sin, bíonn mo chairde ag dul amach chuig dioscónna go minic agus ní bhím ábalta mar bím ag obair. Cuireann sé sin isteach go mór orm.

Ag deireadh an lae, tá mé sásta go bhfuil post páirtaimseartha agam.

Answer the following questions in English.

    a)   How much money does Aoife get paid per hour?

    b)   How does she feel about this? Make <u>two</u> points.

    c)   Name three things that Aoife buys with her money.

    d)   When does Aoife go to Letterkenny?

    e)   How does Aoife's tastes differ from those of her friends?

Scríobh amach na habhairtí i do leabhar féin. Líon isteach na bearnaí ag baint úsáide as na frásaí sa bhosca thíos.

    a)   Is maith le hAoife bheith ag _____ le scéalta.

    b)   Tá sí sásta nach mbíonn uirthi bheith _____ ar a tuismitheoirí barraíocht.

    c)   Cuireann an obair _____ ar Aoife.

    d)   Cailleann Aoife amach ar _____ lena cairde.

    e)   Ar an iomlán, tá _____ ar Aoife go bhfuil post páirtaimseartha aici.

díomá	**ag brath**	**éisteacht**
caint	**gruaim**	**turais siopadóireachta**
áthas	**ag brath**	**tuirse**
oícheanta amuigh	**ag amharc**	

SPEAKING

Speaking exercise: An interview

Pair up with someone in your class and conduct an interview with them as though you were a manager in the local supermarket and they are applying for a job. The interview should only take about 4 or 5 minutes in total.

Start by asking their name and some general details about themselves. They can be as inventive as they like with their answers. Then ask them about their interest in the job and why they applied. Ask if they have had any other part-time jobs and what they liked and disliked about them.

Make sure they tell you why they liked or disliked the jobs they have had. Try to get information on why their past experience may give them an advantage in applying for the job offered. Ask them what they think of the pay offered and find out when then can start if they are offered the job.

Context 3
Employability
3C: Future Plans

By the end of this unit, you will be able to understand vocabulary relating to choices and expectations with regards to your future plans and you will be able to produce a piece of work in speech and in writing on this topic.

The main areas covered will be:

- Occupations
- Work places
- Opinions on work
- Work conditions
- Qualifications

You will also explore grammar relating to:

- Rules for aspiration
- The Copula – Present and Past Tense

Future plans: Choices and expectations

Slithe Beatha

Look at the list of occupations below. How many of them do you recognise? Work with a partner or use a dictionary to find out the ones that you are not fimilar yet.

Ailtire	Craoltóir	Iascaire	Polaiteoir
Aisteoir	Cuntasóir	Innealtóir	Príomhoide
Aeróstach	Cúntóir ranga	Iriseoir	Rúnaí
Amhránaí	Dlíodóir	Léachtóir Ollscoile	Sagart
Ardmhaistir	Dochtúir	Láithreoir teilifíse	Scoláire
Báicéir	Fáilteoir	Leictreoir	Siopadóir
Bainisteoir	Fear dóiteáin	Maor tráchta	Siúinéir
Banaltra	Fear bainne	Mac léinn	Taoiseach
Bean tí	Fear poist	Meicneoir	Tiománaí
Búistéir	Feirmeoir	Múinteoir	Tógalaí
Ceimiceoir	Freastalaí	Oibrí sóisialta	Tréidlia
Ceoltóir	Garda	Oifigeach	Tuairisceoir
Cigire	Gadaí	Peileadóir	Uachtarán
Cócaire	Glantóir	Píolóta	
Coslia	Gogamán	Poitigéir	

SAIBHREAS

Saibhreas

Now let's look at ways of talking about the job you have.

> Ba mhaith liom bheith i mo **ch**ócaire.
> Ba mhaith liom bheith i mo **ph**íolóta.
> Ba mhaith liom bheith i mo **ph**ríomhoide.

You can see that the words above have had an aspiration (séimhiú) added. This is because of the word 'mo' (my – a possessive adjective). This can happen to many words but it cannot happen if the word starts with a vowel. Look at the samples below.

> Ba mhaith liom bheith i m'oibrí sóisialta.
> Ba mhaith liom bheith i m'iascaire.
> Ba mhaith liom bheith i m'ailtire.

You can see this time that the 'o' of the word 'mo' has been replaced by an apostrophe (uaschamóg). Look in the grammar section to see which combination of letters cannot have an aspiration added.

WRITING

Select five jobs and write them out as above. Make sure you use one word which can be aspirated, one that can't as well as a word that begins with a vowel.

To see a full list of possessive adjectives go to the grammar section.

Matching exercise

Meatseáil an post leis an mhíniú cheart. Scríobh na freagraí i do leabhar féin.

1. Bím ag obair taobh amuigh le caoraigh agus le ba. Is maith liom an obair ach bíonn sé deacair sa gheimhreadh.
2. Bím ag obair ar an nuacht.
3. Bím ag díol leighis le mo chuid custaimeoirí.
4. Bím ag tabhairt aire do pháistí nuair nach mbíonn a dtuismitheoirí ann.
5. Oibrím san otharlann agus tugaim aire do dhaoine tinne. Ní banaltra mé.
6. Oibrím ar eitleán. Bím ag freastal ar na paisinéirí agus ag tabhairt amach eolas slándála.
7. Bím ag ullmhú bia i mbialann.
8. Freastlaím ar léachtanna ar ollscoil.
9. Tá mise i gceannas ar an tír. Is maith liom an obair mar tig liom difear a dhéanamh don todhchaí. Bíonn na huaireanta fada agus tá cuid mhaith freagrachtaí ag baint leis an phost.
10. Is múinteoir mé, ach ní bhím ag teagasc, bím féin i mbun na scoile.
11. Oibrím sa chúirt agus bím ag argóint ar son nó in éadan daoine ina gcásanna dlí.

Listen to Dónall speaking about his job and answer the questions which follow. Choose the correct answer. Write the answers in your own book.

a)   Dónall works as a _____

    (i) joiner

    (ii) business man

    (iii) plummer

b)   He Works _____

    (i) inside

    (ii) outside

    (iii) inside and outside

c) He enjoys working in _____

    (i) spring

    (ii) summer

    (iii) autumn

d) In winter, it is often _____

    (i) windy and raining

    (ii) snowing and raining

    (iii) sunny and snowing

e) Dónall _____

    (i) likes the work

    (ii) doesn't like the work

    (iii) doesn't care about the work

f) Dónall feels _____ about his work

    (i) proud

    (ii) happy

    (iii) embarrassed

Dónall continues and speaks about his wife's work. Listen to Dónall and choose four sentences which are true.

1.   Dónall and Máire have been married for seven years.

2.   Máire works as a pharmacist.

3.   Máire works as a dentist.

4.   Máire doesn't like her work.

5.   Máire is shy.

6.   Máire earns more money than Dónall.

7.   Máire and Dónall have five children.

8.   According to Dónall, Christmas presents are quite cheap.

Read the sentences (1-10) and match them to a letters (a-j) below. The matching halves give reasons why someone would want the job they have selected.

An example has been done for you.

Example: 8 = *e*

1. Ba mhaith liom bheith i mo mhúinteoir
2. Ba mhaith liom bheith i mo pholaiteoir
3. Ba mhaith liom bheith i mo shiopadóir
4. Ba mhaith liom bheith i mo thógálaí
5. Ba mhaith liom bheith i mo phíolóta
6. Ba mhaith liom bheith i mo chraoltóir
7. Ba mhaith liom bheith i m'aisteoir
8. Ba mhaith liom bheith i mo mheicneoir
9. Ba mhaith liom bheith i m'oibrí sóisialta
10. Ba mhaith liom bheith i m'fhear dóiteáin

a) mar ba mhaith liom an domhan an fheiceáil.
b) mar ba mhaith liom bheith ag obair taobh amuigh.
c) mar ba mhaith liom cuidiú le daoine i mo cheantar féin.
d) mar sílim go mbeadh an obair iontach corraitheach agus ní miste liom contúirt
e) mar tá dúil mhór agam i gcarranna.
f) mar ba mhaith liom bheith ag obair ar an teilifís nó ar an raidió.
g) mar is maith liom daoine óga.
h) mar is maith liom bheith ag obair istigh.
i) mar ba mhaith liom cuidiú le páistí chun a bhfadhbanna a réiteach.
j) mar ba mhaith liom bheith cáiliúil.

Here are some other ways to give reasons for why a particular occupation is appealing.

Sílim go mbeadh sé…suimiúil / dúshlánach / sultmhar / fiúntach	I think it would be…interesting / challenging / enjoyable / worthwhile
Tá an pá / tuarastal go maith	The pay / salary is good
Is maith liom bheith ag obair le daoine / le hainmhithe	I like working with people / with animals
Tá na laethanta saoire go hiontach	The holidays are great
Ba mhaith liom bheith féinfhostaithe	I want to be self-employed

Use the notes above and create a small presentation on the job you'd like for the future. Use a single sheet to keep some notes that will guide you through your presentation. Try to keep the notes to a mimimun – about 40 words.

When you are finished your presentation it should last between 1 – 2 minutes. When you are ready you can present this to your class or a small group. At the end of the presentation ask 2 or 3 of the group to ask you a short question on the presentation.

Comhairle

- Try to use the phrase 'ba mhaith liom bheith i mo…

- Mar

- Sílim go mbeadh sé… – I think it would be…

When you have finished everything you should note the things you did well and the areas that you want to improve in order to make your next presentation even better.

Listen to these people talking about their work. Fill in the following details for each.

Mairtín	**Feargal**	**Diarmuid**

Example: Martin: Aois = 29

1. Ainm an Duine
2. Aois
3. Post
4. Fad atá sé/sí sa phost sin
5. An maith leis/léi an post? ☺ ☹ ☺

Read what the following people say about how to gain employment in their areas.

Gluais:

caithfidh tú	you must	díograiseach	devoted
is cuma	it doesn't matter	printíseacht	apprenticeship
an cheardscoil	technical school	suíomh tógála	building site
neart ama	a lot of time	an chéim	the degree
oifig dlíodóra	solicitor's office	taithí	experience
foighneach	patient	argóinteach	argumentative
muiníneach	confident	bealaí difriúla	different ways
más suim leat	if you are interested	taisceadán	depository
gheobhaidh tú	you will get	lonnaithe	situated
míshóisialta	unsociable	in amanna	sometimes
pearsantacht	personality	tuisceanach	understanding
bíonn ort	you have to	eagraithe	organised

Le bheith i do shiúinéir caithfidh tú bheith iontach díograiseach agus sásta obair throm a dhéanamh gach lá, is cuma faoin aimsir. Caithfidh tú bheith láidir fosta. Caithfidh tú dul go dtí an cheardscoil agus printíseacht a dhéanamh. Bíonn lá amháin sa tseachtain agat sa cheardscoil agus ceithre lá ag obair ar an suíomh tógála.

Is dlíodóir mise agus má tá tusa ag iarraidh dul an bealach seo beidh ort neart ama a chaitheamh ar ollscoil. Déanann tú cúrsa céime ar dtús a mhaireann trí bliana agus ansin, nuair a bhaineann tú an chéim amach bíonn ort am a chaitheamh ag obair in oifig dlíodóra le pá íseal agus uaireanta fada.

Ansin bíonn níos mó scrúdaithe le déanamh agat ar ais ar an ollscoil. Ach nuair a fhaigheann tú go leor taithí ardaíonn an t-airgead agus cé go mbíonn an obair trom bíonn sí iontach suimiúil. Mar sin, caithfidh tú bheith iontach foighneach mar dhuine, caithfidh tú bheith argóinteach gan bheith feargach agus muiníneach chomh maith mar bíonn ort labhairt os comhair cuid mhór daoine.

Tá bealaí difriúla ar fáil duit más suim leat bheith ag obair mar bhainisteoir bainc. Ní chaithfidh tú dul ar ollscoil. Thosaigh mise amach ag obair ar an taisceadán i mBanc na hÉireann agus rinne mé cúpla cúrsa cuntasóra i gcoláiste breisoideachais in Iúr Cinn Trá agus de réir a chéile fuair mé ardú céime agus anois is mise an bainisteoir.

Molaim do dhaoine anois dul ar ollscoil, ach má tá tú díograiseach go leor sa chineál seo oibre – an saol gnó –gheobhaidh tú post maith.

Tá mise i mo bhanaltra. Rinne mé cúrsa ar ollscoil ar feadh trí bliana in Ollscoil Uladh, Mhig Aoidh, atá lonnaithe i gcathair Dhoire. Má tá suim agat san obair seo caithfidh tú bheith iontach díograiseach agus sásta uaireanta míshóisialta a dhéanamh.

In amanna bíonn tú ag obair i rith na hoíche agus tá sé sin iontach deacair. Ina theannta sin, caithfidh tú bheith maith ag obair le daoine agus caithfidh pearsantacht oscailte bheith agat.

Le bheith i do ghruagaire tá scileanna de dhíth ort. Caithfidh tú bheith iontach néata agus cruinn chomh maith. Tá sé tábhachtach go bhfuil tú tuisceanach chomh maith mar bíonn ort éisteacht le fadhbanna daoine go minic. Is buntáiste é bheith eagraithe mar bíonn ort coinní a láimhseáil gach lá.

Bíonn ort bheith gasta fosta mar ní maith le daoine bheith ag fanacht. Ní chaitheann tú mórán ama ag traenáil mar ní dhéanann tú ach cúrsa dhá bhliain agus bíonn tú cáilithe. Ach ba cheart duit cúrsaí breise a dhéanamh ina dhiaidh sin le feabhas a chur ar do scileanna. Síleann daoine go bhfuil an post seo furasta ach bíonn tú ar do chosa an lá ar fad agus caithfidh tú obair Dé Sathairn. Níl an tuarastal ró-iontach ach má bhíonn tú maith tá neart airgid le saothrú.

WRITING

Use the passages above to help you with the following phrases. Try to write the sentences out **in Irish**.

a)   You must have an open personality

b)   It's important that you are understanding

c)   Although the work is heavy it's interesting

d)   The salary isn't wonderful but if you're good there's plenty of money to be earned

e)   Regardless of the weather

f)   You do a degree course firstly which lasts three years

g)   You must do an apprenticeship

h)   You must be prepared to work antisocial hours

i)   You are qualified

j)   People think this job is easy

h)   There are various routes available

Look back at the descriptive adjectives in the 'Mé Féin' section of the book. How many of them are used in the passage above? Make a list, trying to put the words in a sentence – an example is done for you.

Eg Tá mé díograiseach mar is maith liom bheith ag obair.

Decide if the following are true or false.

a) Bíonn siúinéirí ramhar

b) Bíonn siúinéirí láidir

c) Bíonn an tuarastal iontach ard do dhlíodóirí ón tús

d) Tá post dlíodóra fóirsteanach do dhuine cainteach

e) Téann cuid cúntasóirí ar ollscoil

f) Téann gach cuntasóir ar ollscoil

g) Níl an bhanaltracht fóirsteanach don saol sóisialta

h) Ní chaitheann tú a lán ama ag traenáil go dtí go bhfuil tú cáilithe mar ghruagaire

i) Is jab deacair é an ghruagaireacht

Answer the following questions **in English**.

1. How is the week broken up for an apprentice carpenter?

2. Why might some days be more difficult than others for a carpenter, according to the script?

3. Make three points about how you can become qualified as a lawyer.

4. Make two points on the qualities that are important for the performance of a lawyer.

5. What happened to the bank manager after he did the accountancy courses in Newry?

6. What advice does the bank manager give to anyone considering working in a bank?

7. What is antisocial about a nurse's job?

8. Why does a hairdresser need to be good with people?

9. Why do they need to be well organised?

10. What advice is given to anyone who wants to become a hairdresser? Why?

Gluais:

an-rath	great demand	ó neart go neart	from strength to strength
D'éirigh linn	We succeeded	Fáilteoidh	Will welcome
céim onórach	honours degree	mar phríomhábhar	primary (main) subject
riachtanach	necessary	labhartha	spoken
de dhíth	needed	a cheapfar	(will be) appointed
a rachaidh suas	which will increase	de réir	in accordance with
boilscithe	inflation	is mó clú	most renowned
fuinniúil	energetic	cumasach	capable
tiomanta	determined		

READING

Eagarthóir buan 'Tobar'

Tá an nuachtán 'Tobar' iontach sásta go bhfuil an-rath ar an pháipéar agus go bhfuil sé ag dul ó neart go neart le tamall. D'éirigh linn eagarthóir buan a fhostú le háit Shinéad Nig Loinsigh, atá ag éirí as a post, a ghlacadh.

Fáilteoidh Bord Tobar roimh iarratais ó iarrthóirí a bhfuil céim onórach acu sa Ghaeilge nó céim ina bhfuil an Ghaeilge mar phríomhábhar. Tá dhá bhliain de thaithí oibre san earnáil Ghaeilge riachtanach don phost seo.

Tá ard-chaighdeán Gaeilge labhartha agus scríofa de dhíth don phost seo agus bheadh iarchéim san iriseoireacht ina bhuntáiste.

Gheobhaidh an t-iarrthóir a cheapfar tuarastal ag tosú ar trí mhíle is tríocha punt a rachaidh suas de réir mar a dhíoltar an páipéar agus de réir boilscithe.

Tá Tobar ar na páipéir is mó clú ó bunaíodh é sa bhliain 1977 agus tá ardmheas bainteach leis an phost seo.

Ní mór bheith freagrach, fuinniúil, cumasach, beoga agus tiomanta i dtreo na teanga leis an ról tábhachtach seo a líonadh.

Cuirtear iarratais, mar aon le CV, chuig Cathaoirleach Tobar ag an seoladh thíos roimh dheireadh na míosa.

Cathaoirleach Tobar
15 Cearnóg na hOllscoile
Bóthar Bhaile Átha Cliath
Béal Feirste

Freagair na ceistenna a leanas **i nGaeilge**.

1. Cén fáth a bhfuil an páipéar ábalta post buan a ofráil? (Tabhair dhá phointe)

2. Cad é an critéar riachtanach a bhaineann leis an phost? (Tabhair dhá phointe)

3. Luaigh rud eile a bheadh ina bhuntáiste d'iarrthóirí.

Answer the following questions **in English**.

1. What is the starting salary for this position?
2. How will salary be increased? Make two points.
3. How long has Tobar been in existence?
4. Give four personality traits needed for this position.
5. Who should applicants send their form to?
6. When do applications need to be in?

WRITING

Complete the following tasks in reference to the job advertisement.

Find the equivalent Irish terms in the text which corresponds to the English terms below.

This important role

The successful candidate

Applications

Who is retiring

Work experience

Candidate

Salary

degree

Find phrases in the advertisement which mean the same as the following;

Tá ag éirí go geal leis

Tig linn

De dhíth

Ardóidh

Cáil

WRITING

Create your own job advertisement. Use the sample above to guide you – choose the position, say if it's temporary or permanent, give the salary, lay out the criteria needed to apply, and anything else relevant.

WRITING

Use the information earlier to fill in the job application form below.

Eolas pearsanta / Dáta	
Ainm	Aois
Seoladh	
Uimhir ghutháin (Baile)	
Uimhir ghutháin (soghluaiste)	
Oideachas	
Tréithe pearsanta a bheadh fóirsteanach don phost	
Taithí	
Caitheamh Aimsire	

LISTENING

Listen to Éamonn speaking about what he sees in his life over the next ten years. Write the answers in your own book. You will hear each section twice.

a) Éamonn is

(i) 16

(ii) 17

(iii) 18

b) Éamonn feels _____ about the future

(i) confident

(ii) fearful

(iii) nervous

Answer the following questions **in English**.

1. Name two subjects that Éamonn will do for A-Level.
2. What two subjects have left Éamonn undecided?
3. Why does he enjoy the subjects he mentioned? Give two reasons.
4. What reason is given for going to university in Belfast?
5. When will he decide on what to do in university?
6. What evidence is given to suggest that Éamonn is a good footballer?
7. Name three other family changes that Éamonn will go through?

READING

Léigh an píosa seo agus freagair na ceisteanna a leanas.

TAG: Portaingéil

A Sheáin, a chara,

Ní raibh mé i dteagmháil le fada – gabh mo leithscéal ach bhí mé thar a bheith gnóthach. Ag tús an tsamhraidh chuaigh mé ar laethanta saoire. Chuaigh mé féin agus an teaghlach ar fad chun na hIodáile. Bhí sé galánta ar fad ach leadránach go leor cúpla lá. Is fearr liom an Spáinn mar bíonn na páirceanna uisce níos fearr.

Chaith mé an chuid eile den samhradh ag obair liom i dteach tábhairne i gCathair Dhoire mar fhreastalaí. Bhí mise ag tógáil gloiní don chuid is mó ach bhí orm na leithris a ghlanadh chomh maith – ní raibh sé sin ró-dheas ach caithfidh tú an obair a dhéanamh. Bhí craic iontach agam leis an bhainisteoir – duine galánta. Shíl mé go raibh an obair trom agus na huaireanta iontach fada agus frithshóisialta, ach bhí na daoine iontach cairdiúil a chuidigh go mór liom.

Bhain mé sult as post páirtaimseartha bheith agam i rith an tsamhraidh ach níor mhaith liom bheith ag obair i dteach tábhairne i rith mo shaoil go lánaimseartha. D'éirigh mé as an jab sin ar mhaithe le mo scrúduithe. Tá sé go fóill luath sa scoilbhliain ach ba mhaith liom bheith i mo dhlíodóir nuair a fhágfaidh mé an scoil agus beidh marcanna arda de dhíth orm chun áit a fháil ar chúrsa ollscoile.

Tá brón orm arís nár scríobh mé chugat le tamall ach tá mé ag dúil go mór le cluinstin uait.

Do chara buan Gaeltachta,

Sinéad.

Can you find the following phrases in the text above?

In contact	Busy	Boring enough
Better	Working	I had to
Too nice	Which helped me a lot	You have to
Which helped me a lot	Throughout my life	Part time
Full time	A while	

Déan amach an tábla i do leabhar. Léigh an ríomhphost arís agus freagair na ceisteanna a leanas.

	Ráiteas	Fíor	Bréagach	Níl an t-eolas ann?
a)	Bhí an Iodáil go hiontach an t-am ar fad			
b)	Shíl Sinéad go raibh an Spáinn níos sultmhaire ná an Iodáil			
c)	Bhí sí ag doirteadh deochanna meisciúla sa teach tábhairne			
d)	Ní raibh dúil aici i ngach dualgas a bhí aici			
e)	Níor réitigh Sinéad le bainisteoir an tábhairne			
f)	Ba mhaith léi dul ar ollscoil			
g)	Bhí Sinéad i dteagmháil le Seán ar na mallaibh			

Léigh an ríomhphost agus freagair, **i nGaeilge**, na ceisteanna a leanas.

a) Cá raibh Sinéad ar a laethanta saoire?

b) Ainmnigh rud amháin a thaitin léi faoin Iodáil.

c) Ainmnigh rud amháin nár thaitin léi faoin Iodáil.

d) Cén post a bhí aici i rith an tsamhraidh?

e) Cén fáth nach bhfuil an post páirtaimseartha aici anois?

f) Cad é an post ba mhaith le Sinéad sa todhchaí?

Listen to Máirtín taking part in an interview. Answer the questions which follow.

a) Máirtín feels

(i) confident   (ii) doubtful   (iii) nervous

b) He is told not to feel like that

(i) because it's not fair on other candidates

(ii) because it won't help

(iii) because he will fail the interview

c) The interviewing panel are

(i) prepared to repeat or explain

(ii) in a hurry

(iii) unfair

d) Máirtín will be asked

(i) 2 questions   (ii) 3 questions   (iii) 4 questions

e) The interview will last around

    (i) 5 minutes

    (ii) 15 minutes

    (iii) 25 minutes

LISTENING

Listen to section 2. Choose five sentences which are true.

1. The company in question is a sports company.
2. It's an events management company.
3. The company was founded ten years ago.
4. The company employs forty people altogether.
5. The company employs thirty people altogether.
6. The company is struggling.
7. The company has been successful in the last two years.
8. There are four branches to the company.
9. The company has a branch in Europe.
10. Events are organised in England.

Listen to section 3. Answer the questions which follow **in English**.

1. How does Máirtín prove that he is hard working?
2. How does he prove that he is well organised?
3. Mention two other things about his personality.
4. Why does Máirtín think there is little money in the country?
5. What must the company ensure due to the lack of money?

Listen to Máirtín explaining how he alleviates stress. Choose the correct answers.

(continued overleaf)

Captaen Gan Comparáid

Is é Robbie Keane captaen fhoireann sacar na hÉireann. Is tosaí é agus tá sé ar an pheileadóir is mó cúl riamh don fhoireann náisiúnta. Tá aon chúl is caoga faighte ag Robbie ó d'imir sé a chéad chluiche in éadan Phoblacht na Seice in 1998.

Rugadh i dTamhlacht i mBaile Átha Cliath é in 1980 agus tá sé pósta ar Claudine. Tá páiste amháin acu le chéile agus Robert atá air, mar a bhí ar a athair fosta a fuair bás cúpla bliain ó shin.

Tá Robbie cúig throithe naoi n-orlaí ar airde agus tá sé tromdhéanta – beagnach dhá chloch déag de mheácan.

Thosaigh Robbie ar a shaol proifisiúnta leis an chlub Wolverhampton Wanderers agus fuair sé cúl i rith a chéad chluiche leo. Ó shin d'imir sé le Leeds, Inter Milan, Tottenham Hotspur, Liverpool Celtic agus West Ham Utd. Ba é buaicphointe a shlí bheatha é nuair a fuair sé ceithre chúl i gCorn an Domhain sa bhliain 2006.

Bhí bua iontach i gcónaí ag Robbie bheith san áit cheart ag an am cheart leis an chúl a aimsiú. Ach ina theannta sin tá sé ábalta cúil iontacha a fháil chomh maith agus síltear go bhfuil sé ar na himreoirí ab fhearr dá raibh riamh ag Éirinn.

Rugadh Robbie Keane sa bhliain 1980 agus bhí ceiliúradh mór aige dá bhreithlá tríocha bliain d'aois.

Bhí post páirtaimseartha aige ag díol nuachtán nuair a bhí sé sé bliana déag d'aois agus chaith sé samhradh ag obair i dteach tábhairne i mBaile Átha Cliath. Bhain sé sult as an obair ach ní raibh an t-airgead ró-mhaith. Tá Robbie ar thuarastal ard anois agus meastar go bhfuil timpeall ar dhá mhilliún déag punt de shaibhreas aige. Tá sé ina chónaí i Londain faoi láthair agus is maith leis a shaol anois.

Tá dúil mhór ag Robbie sa teanga náisiúnta cé nach bhfuil sé ábalta í a labhairt go líofa. Deir sé go mothaíonn sé iontach paiseanta nuair a chluineann sé Amhrán na bhFiann romh na cluichí idirnáisiúnta.

Freagair na ceisteanna seo i **nGaeilge.**

1. Cad é an t-ainm atá ar bhean chéile Robbie?

2. Cad é an post atá aige? Luaigh dhá rud.

3. Ainmnigh post amháin a bhí aige nuair a bhí sé óg.

4. Cad é an tuairim atá ag Robbie ar an Ghaeilge?

WRITING

Líon isteach na bearnaí ag baint úsáide as na frásaí sa bhosca thíos.

1. Tá athair Robbie Keane _____

2. Nuair a bhí Robbie ag obair sa teach tábhairne bhí an pá

   _____

3. Tá _____ mhór ag Robbie don Ghaeilge.

4. Robert an t-ainm atá ar a _____

5. Tá Robbie ar an _____ is fearr riamh d'fhoireann na hÉireann.

Beo	Mhac	Chosantóir
Íseal	Grá	Scórálaithe
Marbh	Fuath	dheartháir

READING

Léigh an píosa faoi Robbie Keane. Cuir tic (✓) sa bhosca cheart.

	Ráiteas	Fíor	Bréagach	Níl an t-eolas ann?
a)	Tá Robbie ina chónaí in Éirinn.			
b)	Bhí trí phost aige ina shaol.			
c)	Is maith leis Amhrán na bhFiann.			
d)	Imreoidh sé leadóg nuair a éiríonn sé as an pheil.			
e)	Scóráil sé 51 cúl d'fhoireann na hÉireann.			

WRITING

Writing exercise: Employability

You write an article for your school Careers teacher outlining your chosen career/job when you leave school. Inform the career officer about the benefits and challenges associated with the job. Tell them how you intend to get some parttime work to give you experience in this job. Tell them about the qualifications that are needed for the job and how you will get these. Don't forget to give the reason what you want the job and what your opinions are of this job.

When you have prepared your notes or plan to write this article, time yourself and see how much you can write in one hour. You should try to write up to 300 words if you can.

ADVICE

Comhairle

Use the reading and listening materials in this and in other units to help you. Remember to show your opinions and to justify them *e.g.* "tá tuarastal mór ag dul leis an phost seo agus is buntáiste mór é sin i mo bharúil mar beidh mé ábalta rudaí deasa a cheannach."

Look over the section that deals with the future tense and make sure to put the correct endings on verbs etc. Make sure that you use the correct tense for each point.

Keep your answer simple, using the Irish that you can comfortably use and understand.

Ádh mór!!

Grammar

The Copula

In Irish, we use the Copula when we want to identify something. It is almost like an equals sign. For example, *it is a pen; she is a teacher; they are footballers.*

Samplaí: **Is peann é.** *It is a pen.*

Ní múinteoir í. *She is not a teacher.*

An peileadóirí iad? *Are they teachers?*

The steps below should help you to see how these sentences are constructed.

Step 1	Step 2	Step 3
Is (positive sentences)	múinteoir *a teacher*	mé *I*
	peileadóir *a footballer*	tú *you*
Ní (negative sentences)	amhránaí *a singer*	é *he (it)*
	tábla *a table*	í *she (it)*
An (questions)	lá deas *a nice day*	muid *we*
	leabhar *a book*	sibh *you (plural)*
	tír álainn *a beautiful country*	iad *they*
	peann *a pen*	
	cóta *a coat*	Seán *Seán*
	mála *a bag*	Máire *Máire*
		An Fhrainc *France*

N.B. You will see that there are two words for *it*. The one we use depends on whether the word in Step 2 is masculine (é) or feminine (í).

WRITING

Ceachtanna: Use the steps above to translate the following sentences.

1. I am a teacher.
2. He is a footballer.
3. It is a table.
4. It is a nice day.
5. She is a singer.
6. France is a beautiful country.
7. Seán is not a footballer.
8. Is it a pen?
9. It is a bag.
10. Is it a nice day?

The Verb Bí - *be*

This is the most common verb in Irish. It can be used to say the following:

1. Where nouns are
2. What nouns are doing
3. To describe nouns

	Step 1 (verb)	Step 2 (noun)	Step 3 (prepositions)
Past Tense	Bhí *was/were* Ní raibh *wasn't/weren't* An raibh *was/were?*	mé *I* tú *you* sé *he* sí *she* muid *we* sibh *you (plural)* siad *they*	ar an *on the* ag an *at the* sa *in the* faoin *under the* in aice leis an *beside the*
Present Continuous	Bíonn* *am/are/is* Ní bhíonn *am not/aren't/isn't* An mbíonn *am/are/is?*		**Step 3 (verbal nouns)** ag rith *running* ag ceol *singing* ag obair *working*
Present	Tá *am/are/is* Níl *am not/aren't/isn't* An bhfuil *am/are/is?*	Peadar *Peadar* Róise *Róise*	
Future	Beidh *will be* Ní bheidh *will not be* An mbeidh *will be?*	an fear *the man* an bhean *the woman*	**Step 3 (adjectives)** mór *tall* beag *small* cliste *clever* dóighiúil *beautiful*

*When *mé* I, comes after bíonn, they combine to form: **Bím/Ní bhím/An mbím**.

Present Continuous means things that occur every day, on a regular basis, like:

 Bíonn sé ag obair gach lá *He is working every day*

Present means something that is occurring right now, like:

 Tá mé ag rith anois *I am running now*

WRITING

Ceachtanna: Use the steps above and write out the following sentences in Irish. Some extra words have been given to help you.

1. I was running.
2. She wasn't beside the door (doras).
3. Was Peadar clever?
4. Róise is working every day (gach lá).
5. We are in the room (seomra) now (anois).
6. Is the man small?
7. I will be at the desk (deasc).
8. She will not be working.
9. Will you be running?
10. She is clever.

Adjectives – Possession

The following are known as the Possessive Adjectives in Irish, and they affect the nouns which follow in different ways:

Singular

mo *my* ➜ **mo c<u>h</u>ara** *my friend*
do *you* ➜ **do c<u>h</u>óta** *your coat*
a *his* ➜ **a <u>ph</u>eann** *his pen*
a *her* ➜ **a cara** *her friend*

Plural

ár *our* ➜ **ár <u>n</u>deartháireacha** *our brothers*
bhur *your* ➜ **bhur gcairde** *your friends*
a *their* ➜ **a <u>b</u>páistí** *their children*

Ceachtanna: Make the appropriate changes in the following sentences:

1. D'ith mé mo (bricfeasta) ar maidin.
2. Chaill sé a (peann) inné.
3. Chuaigh Máire agus a (cara) ar scoil le chéile.
4. Cheannaigh muid ár (ticéid) don cheolchoirm.
5. Cá bhfuair sibh bhur (bronntanas)?
6. Cá bhfuil do (mála scoile)?
7. Is maith leis a (cara) nua.
8. Dúirt Seán go raibh a (teach) faoin tuath.
9. Ní maith le Sinéad a (múinteoir).
10. Chaith Seán a (cuid airgid) sa siopa.

When the nouns begin with vowels, some of the Possessive Adjectives change slightly:

Singular

m' *my* ➜ **m'athair** *my father*
d' *you* ➜ **d'uncail** *your uncle*
a *his* ➜ **a aintín** *his aunt*
a *her* ➜ **a <u>h</u>uncail** *her uncle*

Plural

ár *our* ➜ **ár <u>n</u>-aghaidheanna** *our faces*
bhur *your* ➜ **bhur <u>n</u>-úlla** *your apples*
a *their* ➜ **a n-athair** *their father*

Ceachtanna: Using the previous notes make the appropriate changes in the following sentences:

1. Thug a (aintín) bronntanas di ag an Nollaig.
2. Tá mo (uncail) ina chónaí faoin tuath.
3. Cá bhfuil do (athair) ag obair inniu?
4. Nigh siad a (aghaidheanna) sa seomra folctha.
5. Scríobh sé a (ainm) sa leabhar.

Adjectives after Masculine and Feminine Nouns

There are two main differences in Adjectives in Irish than in English. The first is the position of the adjective (it usually comes *after* the noun: an fear <u>mór</u> the <u>big</u> man) and the second is that the adjective must agree with noun (na cailíní <u>móra</u> the <u>big</u> girls).

Follow these simple rules for all regular adjectives in their masculine singular, feminine singular and plural form:

Type of Adjective	Masculine Singular	Feminine Singular	Plural
Ending in a broad consonant (a consonant, or group of consonants with a, o, u before them)	mór *big* **géar** *sharp* **greannmhar** *funny* **tábhachtach** *important*	m<u>h</u>ór **g<u>h</u>éar** **g<u>h</u>reannmhar** **t<u>h</u>ábhachtach**	mór<u>a</u> **géar<u>a</u>** **greannmhar<u>a</u>** **tábhachtach<u>a</u>**
Ending in a slender consonant (a consonant, or group of consonants, with i or e before them)	**glic** *clever* **binn** *sweet* **ciúin** *quiet*	**g<u>h</u>lic** **b<u>h</u>inn** **c<u>h</u>iúin**	**glic<u>e</u>** **binn<u>e</u>** **ciúin<u>e</u>**
Ending in –úil	**suimiúil** *interesting* **spreagúil** *inspiring* **dóighiúil** *beautiful*	**s<u>h</u>uimiúil** ***spreagúil** **d<u>h</u>óighiúil**	**suimiúla** **spreagúla** **dóighiúla**
Ending in a vowel	**crua** *hard* **cliste** *smart* **tanaí** *thin*	**c<u>h</u>rua** **c<u>h</u>liste** **t<u>h</u>anaí**	**crua** **cliste** **tanaí**

* *sc, sf, sm, sp, st, sv* cannot be aspirated.

If we take a masculine word, **an tábla** *the table* and a feminine word **an fhuinneog** *the window,* we can see how these rules apply:

an tábla mór	**an fhuinneog mhór**	na táblaí móra	na fuinneoga móra
the big table	*the big window*	*the big tables*	*the big windows*

WRITING

Ceachtanna: Tick the correct form of the adjective to go with these nouns:

1. an fear — mór/mhór/móra
2. an phictiúrlann — beag/bheag/beaga
3. an t-arán — blasta/bhlasta/blasta
4. na daoine — suimiúil/shuimiúil/shuimiúla
5. an doras — gorm/ghorm/gorma
6. na mná — dóighiúil/dhóighiúil/dóighiúla
7. an ghirseach — cliste/chliste/cliste
8. na laethanta — fada/fhada/fada
9. an fhuinneog — beag/bheag/bheaga
10. na scéalta — mór/mhór/móra

Comparing Adjectives 1

If we wish to say that two things are <u>or</u> are not the same as each other, we use the phrase **chomh** + adjective + **le**, e.g.

> Tá Seán **chomh cliste le** Peadar. *Seán is as smart as Peadar.* Níl teilifíseán **chomh daor le** raidió. *A television isn't as expensive as a radio.*

If we wish, however, to compare adjectives, i.e. if we wish to say something is *bigger* or the *biggest,* we use the words **níos** (comparative) or **is** (superlative) and a special form of the adjective, e.g.

> Tá an aimsir **níos fuaire** (<**fuar** *cold*) **inniu.** *The weather is colder today.* **Is í an Rúis an tír is fuaire** (<**fuar** *cold*) **san Eoraip.** *Russia is the coldest country in Europe.*

To form the Comparative and Superlative, we change the basic spelling of the adjective in the following ways:

Basic Adjective	Comparative (níos)	Superlative (is)
Ends in –ach/-each ➔ *- aí/- í* **cumhachtach** *powerful* **díreach** *straight*	**níos cumhachtaí** *more powerful* **níos dírí** *straighter*	**is cumhachtaí** *most powerful* **is dírí** *straightest*
Ends in –úil ➔ *- úla* **sláintiúil** *healthy* **suimiúil** *interesting*	**níos sláintiúla** *healthier* **níos suimiúla** *more interesting*	**is sláintiúla** *healthiest* **is suimiúla** *most healthy*
Ends in broad consonant ➔ *'i' before broad consonant and add 'e'* **bán** *white* **dubh** *black*	**níos báine** *whiter* **níos duibhe** *blacker*	**is báine** *whitest* **is duibhe** *blackest*
Ends in a vowel ° *no change* **cliste** *smart* **tanaí** *thin*	**níos cliste** *cleverer* **níos tanaí** *thinner*	**is cliste** *cleverest* **is tanaí** *thinnest*

WRITING

Ceachtanna: Using the information above, find the Comparative and Superlative of the following adjectives:

leadránach *boring*
brónach *sad*
uaigneach *lonely*
cáiliúil *famous*
ciallmhar *sensible*

leisciúil *lazy*
ard *tall*
tábhachtach *important*
óg *young*
ciallmhar *sensible*

Comparing Adjectives (2)

There are a number of important adjectives in Irish that have special comparative and superlative forms, and it is worth learning these:

Adjective	Comparative	Superlative
beag *small*	**níos lú** *smaller*	**is lú** *smallest*
fada *long*	**níos faide** *longer*	**is faide** *longest*
maith *good*	**níos fearr** *better*	**is fearr** *best*
mór *big*	**níos mó** *bigger*	**is mó** *biggest*
olc *bad*	**níos measa** *worse*	**is measa** *worst*
gearr *short*	**níos giorra** *shorter*	**is giorra** *shortest*
te *hot*	**níos teo** *hotter*	**is teo** *hottest*
álainn *beautiful*	**níos áille** *more beautiful*	**is áille** *most beautiful*

WRITING

Ceachtanna: Write out the following sentences in Irish:

1. Máire is smaller than Síle.

2. The smallest girl.

3. January is longer that September.

4. The longest day.

5. I am better than you at football.

6. The best footballer.

7. England is bigger than Ireland.

8. The biggest country.

9. Coffee is worse than tea.

10. The worst drink.

11. The road is shorter.

12. The shortest road.

13. Spain is hotter than Sweden.

14. The hottest country.

15. The countryside is more beautiful than the city.

16. The most beautiful country.

The Verbal Adjective

A **Verbal Adjective** is an adjective that is made from a verb, and it gives us information about the state of a person or thing when an action has been completed.

Tá mé críochnaithe *I am finished* (< from the verb **críochnaigh** *finish*)

Tá sé déanta *It is done* (< from the verb **déan** *make*)

There are a number to ways in which to form the Verbal Adjective, and this is a general guide:

Verb Ending	Step 1	Verbal Adjective
Verbs that end in broad -**l**, -**n**, -**s**, -**ch**, -**d** (if these letters have **a, o, u** before them)		
díol *sell*	add –**ta**	**díolta** *sold*
dún *close*		**dúnta** *closed*
Verbs that end in slender-**l**, -**n**, -**s**, -**ch**, -**d** (if these letters have **i, e** before them)		
mill *ruin*	add –**te**	**millte** *ruined*
sín *stretch*		**sínte** *stretched*
Verbs that end in broad –**b**, -**c**, -**g**, -**m**, -**p**, -**r** (if these letters have **a, o, u** before them)		
íoc *pay*		
fág *leave*	add – **tha**	
Verbs that end in slender–**b**, -**c**, -**g**, -**m**, -**p**, -**r** (if these letters have **i, e** before them)		
stróic *rip*	add – **the**	**stróicthe** *ripped*
cuir *put*		**curtha** *put*
Verbs that end in –**gh**/		
ceannaigh *buy*	-**gh** ➜ **the**	**ceannaithe** *bought*
ordaigh *order*		**ordaigh** *ordered*
imigh *leave*		**imithe** *left*
Irregular Verbs		
abair *say*		**ráite** *said*
beir *bear*		**beirthe** *borne*
bí *be*		----------------
clois *hear*		**cloiste** *heard*
déan *do*		**déanta** *done/made*
faigh *get*		**faighte** *got*
feic *see*		**feicthe** *seen*
ith *eat*		**ite** *eaten*
tabhair *give*		**tugtha** *given*
tar *come*		**tagtha** *came*
téigh *go*		**dulta** *gone*

The definite article

The definite article – this is the word in Irish for 'the'. The main difference is that in Irish, there are two words for *the*: **an** is mostly used with singular words and **na** is always used with plurals:

> e.g. **an** fear *the man* BUT **na** fir *the men*.

The article will have an effect on the spelling of the noun which follows, depending on whether the noun is masculine or feminine. The section below shows how the article **'an'** effects the initial spelling of different nouns.

That begin with...	Masculine Nouns	Feminine Nouns
b, c, f, g, m, p	**Bád** *a boat* >**an bád** *the boat* **Cat** *a cat* >**an cat** *the cat*	**Fuinneog** *a window* >**an fhuinneog** *the woman* **Bean** *a woman* >**an b<u>h</u>ean** *the woman*
a vowel	**Asal** *a donkey*> **an t<u>-</u>asal** *the donkey* **Arán** *bread* >**an t<u>-</u>arán** *the bread*	**amharclann** *a theatre* > **an amharclann** *the theatre* **ordóg** *a thumb* > **an ordóg** *the thumb*
d, t	**Doras** *a door* >**an doras** *the door* **Teach** *a house* >**an teach** *the house*	**duilleog** *a leaf* > **an duilleog** *the leaf* **teanglann** *a language laboratory* > **an teanglann** *the language laboratory*
s	**Siopa** *a shop* >**an siopa** *the shop*	**Seachtain** *a week* >**an t<u>s</u>eachtain** *the week*
sc, sm, sp, and st	**Scéal** *a story* >**an scéal** *the story*	**Scoil** *a school* > **an scoil** *the school*

WRITING

Ceachtanna: Place *an* in front of the following nouns, and make the necessary changes, based on the examples given above.

Masculine Nouns

Sampla: fear: *an fear*

1. cóta *a coat*
2. páipéar *paper*
3. mála *a bag*
4. buidéal *a bottle*
5. fear *a man*
6. úll *an apple*
7. alt *article*
8. tógálaí *a builder*
9. sionnach *a fox*
10. smaoineamh *a thought*

Feminine Nouns

Sampla: bean: *an bhean*

1. girseacha *girl*
2. piseog *a superstition*
3. meancóg *a mistake*
4. brídeog *a bride*
5. féasóg *a beard*
6. aiste *an essay*
7. aeróg *an aerial*
8. teanga *a language*
9. siopadóireacht *shopping*
10. spúnóg *a spoon*

When we are using **na** with plural nouns, the beginning of the following noun never changes, unless it begins with a vowel. In that case, we place **h** at the beginning of the word:

> e.g. **úll** *an apple*   >**na h<u>ú</u>lla** *the apples*;   **iolar** *an eagle*   >**na h<u>i</u>olair** *the eagles*

Prepositions

Prepositions can sometimes affect the nouns which follow them. The prepositions below with a tick (✓) beside them cause an aspiration (séimhiú).

Preposition	Meaning	Aspiration	With personal pronouns (me, you, him, her, we, you, them)
ar	*on*	✓	orm, ort, air, uirthi, orainn, oraibh, orthu
do	*to*	✓	dom, duit, dó, di, dúinn, daoibh, dóibh
ó	*from*	✓	uaim, uait, uaidh, uaithi, uainn, uaibh, uathu
faoi	*under/about*	✓	fúm, fút, faoi, fúithi, fúinn, fúibh, fúthu
ag	*at*	×	agam, agat, aige, aici, againn, agaibh, acu
le	*with*	×	liom, leat, leis, léi, linn, libh, leo
as	*from*	×	asam, asat, as, aisti, asainn, asaibh, astu
chuig	*to*	×	chugam, chugat, chuige, chuici, chugainn, chugaibh, chucu

For example:

Ar	Tá an t-arán **ar th**ábla na cistine.	*The bread is on the kitchen table.*
Do	Thug mé bronntanas **do** Sheán.	*I gave a present to Seán.*
Ó	Fuair mé litir **ó Ph**ól ar maidin.	*I received a letter from Pól this morning.*
Faoi	Gheobhaidh tú é **faoi th**ábla na cistine.	*You will get it under the kitchen table.*
Ag	Tá airgead ag Peadar.	*Peadar has money.*
Le	Éistim le ceol.	*I listen to music.*
As	Tháinig sé as cófra.	*It came out of a cupboard.*
Chuig	Chuir mé litir chuig cara.	*I sent a letter to a friend.*

Verbal Nouns

The **Verbal Noun** in Irish is usually formed by adding an ending to the stem of the verb. The **Verbal Noun** has a number of uses in Irish:

1. after '**ag**' when talking about a continuous action:

   e.g. **ag <u>obair</u>** *working*

2. as the infinitive to translate things like: *to drive*:

   e.g. **ba mhaith liom <u>tiomáint</u>** *I would like <u>to drive</u>*

   N.B If you want to say something like *I would like <u>to drive a car</u>* the word for car comes <u>before</u> the Verbal Noun:

   e.g. **ba mhaith liom <u>carr a th</u>iomáint**. Note that the Verbal Noun is aspirated (**h**) after **a.**

3. after **le** or **chun** to suggest something that was or is planned:

   e.g. **Tá mé ag dul abhaile <u>chun obair a dhéanamh</u>** *I am going home <u>in order to do work</u>*

4. certain Verbal Nouns are used after **i mo** *in my*, **i do** *in your*), etc, to describe stationary states of being:

   e.g. **Tá mé i mo sheasamh** *I am standing;* **Tá tú i do chodladh** *You are sleeping.*

There are a number of ways to form the Verbal Noun. Here is a brief guide to this, although you will see as you continue on your study of Irish that there are quite a few exceptions:

Verb Type	Stem	Verbal Noun
Single syllable verbs	**glan** *clean*	**glan<u>adh</u>**
	geall *promise*	**geall<u>adh</u>**
	mill *ruin*	**mill<u>eadh</u>**
	bris *break*	**bris<u>eadh</u>**
Two-syllable verbs ending in –aigh or –igh	**críochnaigh** *finish*	**críochn<u>ú</u>**
	ullmhaigh *prepare*	**ullmh<u>ú</u>**
	bailigh *collect*	**bail<u>iú</u>**
	deisigh *mend*	**deis<u>iú</u>**
-t is added to the stem of some verbs to form the verbal noun	**bain** *win*	**bain<u>t</u>**
	imirt *play*	**imir<u>t</u>**
-áil is added to the stem of some verbs to form the verbal noun	**fág** *leave*	**fág<u>áil</u>**
	tóg *lift*	**tóg<u>áil</u>**
-(a)int is added to the stem of some of the verbs to form the verbal noun	**féach** *look*	**féach<u>aint</u>**
	tuig *understand*	**tuis<u>cint</u>**
-(e)amh is added to the stem of some of the verbs to form the verbal noun	**caith** *throw/spend*	**caith<u>eamh</u>**
	déan *do/make*	**déan<u>amh</u>**

Ceachtanna: Using the information above, find the correct verbal noun and write out the sentences in Irish:

1. I was cleaning my room (mo sheomra)
2. She is breaking the rules (na rialacha)
3. He was promising everything (gach rud)
4. I would like to finish the work
5. She is preparing the tea (an tae)
6. He is mending my bicycle (mo rothair)
7. I would like to win the money (an t-airgead)
8. I would like to play football (peil)
9. I went home to lift my bag (mo mhála)
10. I would like to spend a week (seachtain) there (ann).

Here is a list of some common verbs and their Verbal Nouns:

Verb	Verbal Noun
abair *say*	rá
bailigh *collect*	bailiú
bí *be*	bheith
bris *break*	briseadh
buail *hit*	bualadh
caill *lose*	cailleadh
caith *throw/spend*	caitheamh
ceannaig h*buy*	ceannach
creid *believe*	creidiúint
críochnaigh *finish*	críochnú
freagair *answer*	freagairt
glan *clean*	glanadh
imigh *leave*	imeacht
imir *play*	imirt
inis *tell*	insint
léigh *read*	léamh
nigh *wash*	ní
oscail *open*	oscailt
cuir *put*	cur
déan *do*	déanamh
díol *sell*	díol
éirigh *get up*	éirí
faigh *get*	fáil
fan *wait*	fanacht
feic *see*	feiceáil
rith *run*	rith
scríobh *write*	scríobh
seas *stand*	seasamh
siúil *walk*	siúl
tabhair *give*	tabhairt
tar *come*	teacht
téigh *go*	dul

Verbs

A **verb** is a doing word. It tells us what something or someone does, for example, eat, play, write.

There are three main types of verbs in Irish:

1. **First conjugation** – usually verbs of one syllable (**dún** *close*, **caith** *throw*, **ól** *drink*, **scríobh** *write*)

2. **Second conjugation** – usually verbs of more than one syllable (**ceannaigh** *buy*, **oibrigh** *work*, **oscail** *open*)

3. **Irregular verbs**

The main areas which we shall look at regarding verbs are **The Imperative** or **Order Form**, **The Past Tense**, **The Present Tense**, and **The Future Tense.**

The Imperative or Order Form

The **Imperative** or **Order Form** is the basic form of the verb which we use to give orders:

dún an doras *close the door*   **ceannaigh** léine nua *buy a new shirt*

caith an liathróid *throw the ball*   **oibrigh** go dian *work hard*

ól an cupán tae *drink the cup of tea*   **oscail** an fhuinneog *open the window*

The Past Tense

We use the **Past Tense** when we are talking about something that has already happened.

inné	*yesterday*	**bliain ó shin**	*a year ago*
arú inné	*the day before yesterday*	**anuraidh**	*last year*
ar maidin	*this morning*	**an mhí seo caite**	*last month*
aréir	*last night*	**an samhradh seo caite**	*last summer*
an tseachtain seo caite	*last week*	**cúpla nóiméad ó shin**	*a couple minutes ago*

To form the Past Tense, we usually just change the Order Form of the verb slightly. Here are the main ways in which we change the Order Form of the verb in Irish in order to form the Past Tense:

1. **Aspiration** (put the letter 'h' after the first letter of the verb):

dún *close*   d**h**ún mé *I closed*

caith *throw*   c**h**aith sí *she threw*

2. Place **d'** in front of the verb, if it begins with a vowel:

oscail *open*   **d'**oscail siad *they opened*

oibrigh *work*   **d'**oibrigh sé i Meiriceá *he worked in America*

3. Place **d'** in front of the verb, and **aspirate,** if it begins with the letter **f:**

fág *leave*   **d'fh**ág mé *I left*

fan *wait*   **d'fh**an sí *she waited*

4. If the verb begins with **l, n, r,** we make no change:

las *light*   las siad *they lit*

rith *run*   rith tú *you ran*

<table>
<tr><th>Negative</th><th>Asking Questions</th></tr>
<tr><td>We place níor in front of the verb and keep the aspiration, but we drop the d':</td><td>We place ar in front of the verb and keep the aspiration, but we drop the d':</td></tr>
<tr><td>Níor dhún mé I didn't close</td><td>Ar dhún tú an doras? Did you close the door?</td></tr>
<tr><td>Níor oscail siad they didn't open</td><td>Ar oscail siad an fhuinneog? Did they open the window?</td></tr>
</table>

WRITING

Ceachtanna: Put the following sentences into the Past Tense by making the appropriate changes to the verbs in brackets.

1. (**Éirigh**) mé maidin inné ar leath i ndiaidh a seacht.
2. (**Nigh**) mé mé féin.
3. (**Ith**) mé mo bhricfeasta.
4. (**Siúil**) mé ar scoil le mo chara.
5. (**Fan**) mé ar scoil an lá ar fad.
6. (**Fág**) mé an scoil ar leath i ndiaidh a trí.
7. (**Caith**) mé an tráthnóna ag déanamh obair bhaile.
8. (**Imir**) mé iomáint le mo chairde.
9. (**Amharc**) mé ar an teilifís le mo theaghlach san oíche.
10. (**Thit**) mé i mo chodladh ar leath i ndiaidh a deich.

The Present Tense

We use the **Present Tense** when we are talking about something that happens on a regular basis.

gach lá	*every day*	**anois is arís**	*now and again*
gach seachtain	*every week*	**go minic**	*often*
gach mí	*every month*	**ó am go céile**	*now and again*
gach bliain	*every year*	**i gcónaí**	*always*

To form the **Present Tense** we add an ending to the **Order Form** of the verb. The ending we add depends on whether the Verb is First Conjugation Broad (it ends in a consonant which has

a, **o**, or **u** before it), First Conjugation Slender (it ends in a consonant which has **i** or **e** before it) or Second Conjugation Broad (ends in –**aigh**) or Second Conjugation Slender (end in –**igh**). Here are the endings we add to the Order Form of the Verb to form the Present Tense.

First Conjugation Broad	First Conjugation Slender	Second Conjugation Broad	Second Conjugation Slender
Dún *close*	Bris *break*	Ceannaigh *buy*	Deisigh *fix*
Dún**aim** *I close*	Bris**im** *I break*	Ceann**aím** *I buy*	Deis**ím** *I fix*
Dún**ann** tú *you close*	Bris**eann** tú *you break*	Ceann**aíonn** tú *you buy*	Deis**íonn** tú *you fix*
Dún**ann** sé/sí *he/she closes*	Bris**eann** sé/sí *he/she breaks*	Ceann**aíonn** sé/sí *he/she buys*	Deis**íonn** sé/sí *he/she fixes*
Dún**aimid** *we close*	Bris**imid** *we break*	Ceann**aímid** *we buy*	Deis**ímid** *we fix*
Dún**ann** sibh *you (pl.) close*	Bris**eann** sibh *you (pl.) break*	Ceann**aíonn** sibh *you (pl.) buy*	Deis**íonn** sibh *you (pl.) fix*
Dún**ann** siad *they close*	Bris**eann** siad *they break*	Ceann**aíonn** siad *they buy*	Deis**íonn** siad *they fix*
Other Verbs like this:	**Other Verbs like this:**	**Other Verbs like this:**	**Other Verbs like this:**
Mol *praise;* **glan** *clean;* **gearr** *cut;* **tóg** *take;* **fág** *leave;* **iarr** *ask;* **líon** *fill;* **íoc** *pay*	**Cuir** *put;* **creid** *believe;* **rith** *run;* **tuill** *earn;* **tit** *fall;* **éist** *listen;* **mill** *ruin*	**Socraigh** *arrange;* **tosaigh** *begin;* **cuardaigh** *search;* **beannaigh** *wave*	**Imigh** *leave;* **bailigh** *collect;* **dúisigh** *wake up;* **éirigh** *get up*

Negative

We place **ní** in front of the verb and **aspirate**. We do nothing to verbs beginning with vowels:

Ní **dh**únann tú *You don't close*

Ní iarrann sí *She doesn't ask*

Asking Questions

We place **an** in front of the verb and **eclipse**. We do nothing to verbs beginning with vowels:

An **g**ceannaíonn siad milseáin? *Do they buy sweets?*

An imíonn siad go luath? *Do they leave early?*

WRITING

Ceachtanna: Put the following sentences into the Present Tense by making the appropriate changes to the verbs in brackets.

1. (**Tóg + mé**) lón ar scoil gach lá.

2. (**Cuir**) Seán cóta air féin gach maidin.

3. (**Éist**) m'athair le ceol traidisiúnta.

4. (**Rith**) sé abhaile nuair a bhíonn sé ag cur báistí.

5. (**Tosaigh**) an scoil ar a naoi gach maidin.

6. (**Ceannaigh + mé**) milseáin gach lá.
7. (**Beannaigh**) mo sheanmháthair dom gach maidin.
8. (**Dúisigh**) mo dheartháir óg go han-luath.
9. (**Imigh**) an múinteoir staire go luath gach lá.
10. (**Creid**) mo mháthair i gcónaí mé.

The Future Tense

We use the **Future Tense** when we are talking about something that will happen.

amárach	*tomorrow*	**níos moille**	*later*
an tseachtain seo chugainn	*next week*	**ar ball**	*later*
an mhí seo chugainn	*next month*	**anocht**	*tonight*
an bhliain seo chugainn	*next year*	**oíche amárach**	*tomorrow night*

To form the Future Tense we add an ending to the Order Form of the verb. The ending we add depends on whether the Verb is First Conjugation Broad (it ends in a consonant which has **a**, **o**, or **u** before it), First Conjugation Slender (it ends in a consonant which has **i** or **e** before it) or Second Conjugation Broad (ends in –**aigh**) or Second Conjugation Slender (end in –**igh**). Here are the endings we add to the Order Form of the Verb to form the Present Tense.

First Conjugation Broad	First Conjugation Slender	Second Conjugation Broad	Second Conjugation Slender
Dún *close*	Bris *break*	Ceannaigh *buy*	Deisigh *fix*
Dún**faidh** *will close*	Bris**fidh** *I will break*	Ceann**óidh** mé *I will buy*	Deis**eoidh** mé *I will fix*
Dún**faidh** tú *you will close*	Bris**fidh** tú *you will break*	Ceann**óidh** tú *you will buy*	Deis**eoidh** tú *you will fix*
Dún**faidh** sé/sí *he/she will close*	Bris**fidh** sé/sí *he/she will break*	Ceann**óidh** sé/sí *he/she will buy*	Deis**íonn** sé/sí *he/she will fix*
Dún**faimid** *we will close*	Bris**fimid** *we will break*	Ceann**óimid** *we will buy*	Deis**eoimid** *we will fix*
Dún**faidh** sibh *you (pl. will) close*	Bris**fidh** sibh *you (pl.) will break*	Ceann**óidh** sibh *you (pl.)will buy*	Deis**eoidh** sibh *you (pl.) will fix*
Dún**faidh** siad *they will close*	Bris**fidh** siad *they will break*	Ceann**óidh** siad *they will buy*	Deis**eoidh** siad *they will fix*
Other Verbs like this:	**Other Verbs like this:**	**Other Verbs like this:**	**Other Verbs like this:**
Mol *praise*; glan *clean*; gearr *cut*; tóg *take*; fág *leave*; iarr *ask*; líon *fill*; íoc *pay*	Cuir *put*; creid *believe*; rith *run*; tuill *earn*; tit *fall*; éist *listen*; mill *ruin*	Socraigh *arrange*; tosaigh *begin*; cuardaigh *search*; beannaigh *wave*	Imigh *leave*; bailigh *collect*; dúisigh *wake up*; éirigh *get up*

Negative	Asking Questions
We place **ní** in front of the verb and **aspirate**. We do nothing to verbs beginning with vowels:	We place **an** in front of the verb and **eclipse**. We do nothing to verbs beginning with vowels:
	An **g**ceannóidh siad milseáin? *Will they buy sweets?*
Ní **dh**únfaidh tú *You will not close*	
Ní iarrfaidh sí *She won't ask*	An imeoidh siad go luath? *Will they leave early?*

WRITING

Ceachtanna: Put the following sentences into the Present Tense by making the appropriate changes to the verbs in brackets.

1. (**Mol + mé**) an scannán sin amárach.

2. (**Tit**) Máire i ndiaidh am scoile.

3. (**Éist**) mo dhearthair leis an raidió tráthnóna.

4. (**Rith**) sé abhaile nuair a bhíonn sé ag cur báistí.

5. (**Socraigh**) an múinteoir an turas inniu.

6. (**Cuardaigh + mé**) sa teach ar ball.

7. (**Beannaigh**) mo sheanmháthair dom gach maidin.

8. (**Bailigh**) na páistí an bruscar.

9. (**Imigh + mé**) ar saoire amárach.

10. (**Creid + mé**) sin lá éigin.

Irregular Verbs

Irregular Verbs do not follow the pattern of the other verbs we saw in the Verb Section earlier. It is important to learn them.

Verb	Past	Present	Future
Beir *grab*	Rug Níor rug Ar rug	Beirim/Beireann Ní bheireann An mbeireann	Béarfaidh Ní bhéarfaidh An mbéarfaidh
Clois *hear*	Chuala Níor chuala Ar chuala	Cloisim/cloiseann Níchloiseann An gcloiseann	Cloisfidh Ní chloisfidh An gcloisfidh
Tar *come*	Tháinig Níor tháinig Ar tháinig	Tagaim/tagann Ní thagann An dtagann	Tiocfaidh Ní thiocfaidh An dtiocfaidh
Ith *eat*	D'ith Níor ith Ar ith	Ithim/itheann Ní itheann An itheann	Íosfaidh Ní íosfaidh An íosfaidh
Tabhair *give*	Thug Níor thug Ar thug	Tugaim/tugann Ní thugann An dtugann	Tabharfaidh Ní thabharfaidh An dtabharfaidh
Déan *do/make*	Rinne Ní dhearna An ndearna	Déanaim/déanann Ní dhéanann An ndéanann	Déanfaidh Ní dhéanfaidh An ndéanfaidh
Feic *see*	Chonaic Ní fhaca An bhfaca	Feicim/feiceann Ní fheiceann An bhfeiceann	Feicfidh Ní fheicfidh An bhfeicfidh
Abair *say*	Dúirt Ní dúirt An ndúirt	Deirim/deir Nídeir An ndeir	Déarfaidh Ní déarfaidh An ndéarfaidh
Téigh *go*	Chuaigh Ní dheachaigh An ndeachaigh	Téim/téann Ní théann An dtéann	Rachaidh Ní rachaidh An rachaidh
Faigh *get*	Fuair Ní bhfuair An bhfuair	Faighim/faigheann Ní fhaigheann An bhfaigheann	Gheobhaidh Ní bhfaighidh An bhfaighidh
Bí *be*	Bhí Ní raibh An raibh	Bím/bíonn Ní bhíonn An mbíonn	Beidh Ní bheidh An mbeidh

Ceachtanna: Insert the correct form of the verb in each sentence. There are clues in each sentence to tell you whether it is Past, Present, or Future that is needed.

1. Ar (clois) tú an nuacht aréir?

2. An (déan) tú obair amárach?

3. An (ith) bricfeasta gach maidin?

4. Ní (téigh) mé ar laethanta saoire anuraidh

5. Ní (faigh) mé na torthaí Dé Luain seo chugainn.

6. An (bí) tú ag an dioscó aréir?

7. (Abair) mé sin le mo mháthair anocht.

8. (Tar) mé abhaile ar a deich ar maidin.

9. (Téigh) mo dheirfiúr ar scoil i mBéal Feirste.

10. (Bí) an aimsir go maith inné.

11. (Ith) siad gach rud sa teach inniu.

12. (Deir) an múinteoir sin i gcónaí.

13. (Faigh) mé cóta nua an tseachtain seo chugainn.

14. (Beir) mé ar mo mhála agus d'imigh mé.

Nouns

Gender

A noun is a person, place or thing. Nouns in Irish can be masculine or feminine, and we can tell if a noun is masculine or feminine by the way the ending is spelt.

Masculine Nouns

1. Nouns that end in a broad consonant (a consonant which has a, o, or u before it) **bád** *a boat*

2. Nouns that indicate professions and end in *–éir; –eoir; –óir* **múinteoir** *a teacher*

3. Nouns that end in *–ín* **coinín** *a rabbit*

Feminine Nouns

1. Nouns that end in *-óg* or *-eog* **Fuinneog** *a window*

2. Nouns that end in a **slender consonant** (a consonant which has '*i*' before it) **páirc** *a field*

3. Nouns that end in *-lann* and refer to a place **Pictiúrlann** *a cinema*

WRITING

Ceachtanna: Using the information given above, work out if these following nouns are masculine or feminine (and find out what the mean!):

aicíd	fiaclóir	scéal
aimsir	gruaig	scoil
bainisteoir	obair	seachtain
ceardlann	ócáid	tábla
cipín	ordóg	teach
doras	ríomhaire	údar
eaglais	sagart	

Nouns in the Plural

We form the plural of nouns in different ways in Irish. This is a general guide to forming plurals, using the ending listed above:

Plurals

1. Nouns that end in a broad consonant (a consonant which has a, o, or u before it) **bád** *a boat:* To form plural, place **i** before the last consonant: **bád >báid**

2. Nouns that indicate professions and end in *- éir; - eoir; - óir* **múinteoir** *a teacher:* To form plural, add **í: múinteoir>múinteoirí**

3. Nouns that end in *–ín* **coinín** *a rabbit:* To form plural, add **í: coinín >coiníní**

Plurals

1. Nouns that end in *-óg* or *-eog* **fuinneog** *a window:* To form plural, add **a: fuinneog >fuinneoga**

2. Nouns that end in a **slender consonant** (a consonant which has '*i*' before it) **páirc** *a field:* To form plural, add **eanna: páirc >páirceanna**

3. Nouns that end in *-lann* and refer to a place **pictiúrlann** *a cinema:* To form plural, add **a: pictiúrlann >pictiúrlanna**

WRITING

Ceachtanna: Using the above information, find the plural of the following nouns:

Arán *bread*

Asal *a donkey*

Capall *a horse*

Focal *a word*

Leabhar *a book*

Feirmeoir *a farmer*

Aisteoir *an actor*

Dlíodóir *a solicitor*

Ceist *a question*

Bábóg *a doll*

Bróg *a shoe*

Amharclann *a theatre*

Bialann *a restaurant*

Dialann *a diary*

Cipín *a match*

Bliain

The word **bliain** has long caused confusion for students in Irish, as it has two forms in the plural, and is sometimes aspirated (urú) and sometimes eclipsed (séimhiú). Let us look at the different forms:

> Singular: bliain *a year*
>
> Plural 1: blianta *years*
>
> Plural 2: bliana *years.*

Plural 1 is used when we are talking about years in general, for example:

> Bhí mé sa Ghaeltacht **blianta** ó shin *I was in the Gaeltacht years ago.*

Plural 2 is used when we specify the number of years we are talking about, for example:

> Bhí mé sa Ghaeltacht **trí bliana** ó shin *I was in the Gaeltacht three years ago.*

1 – 10	**11 - 19**
bliain	bliain déag
dhá b**h**liain	dhá b**h**liain déag
trí bliana	trí bliana déag
ceithre bliana	ceithre bliana déag
cúig bliana	cúig bliana déag
sé bliana	sé bliana déag
seacht **m**bliana	seacht **m**bliana déag
ocht **m**bliana	ocht **m**bliana déag
naoi **m**bliana	naoi **m**bliana déag
deich **m**bliana	

20, 30, 40, etc	**21, 32, 44, etc**
fiche bliain	bliain is fiche
tríocha bliain	trí bliana is tríocha
daichead bliain	ceithre bliana is daichead

Saying what age you are:

To say what age you are you simply place the phrase 'd'aois' after the appropriate number, for example:

> Tá mé cúig bliana d'aois. *I am five years old.*
>
> Tá mé cúig bliana déag d'aois. *I am fifteen years old.*

Counting family members

Be careful when counting family members. In Irish, we use different forms of numbers when counting people. Look at the following table, and you will see how to count family members:

	seanathair *grandfather*	seanmháthair *grandmother*	athair *father*	máthair *mother*
amháin (1)	seanathair amháin	seanmháthair amháin	athair amháin	máthair amháin
beirt (2)	beirt seanaithreacha	beirt seanmháithreacha	-	-

	deartháir *brother*	deirfiúr *sister*	col ceathrar *cousin*
amháin (1)	deartháir amháin	deirfiúr amháin	col ceathrar amháin
beirt (2)	beirt deartháireacha	beirt deirfiúracha	beirt chol ceathracha
triúr (3)	triúr deartháireacha	triúr deirfiúracha	triúr col ceathracha
ceathrar (4)	ceathrar deartháireacha	ceathrar deirfiúracha	ceathrar col ceathracha
cúigear (5)	cúigear deartháireacha	cúigear deirfiúracha	cúigear col ceathracha
seisear (6)	seisear deartháireacha	seisear deirfiúracha	seisear col ceathracha
seachtar (7)	seachtar deartháireacha	seachtar deirfiúracha	seachtar col ceathracha
ochtar (8)	ochtar deartháireacha	ochtar deirfiúracha	ochtar col ceathracha
naonúr (9)	naonúr deartháireacha	naonúr deirfiúracha	naonúr col ceathracha
deichniúr (10)	deichniúr deartháireacha	deichniúr deirfiúracha	deichniúr col ceathracha
déag (11)	deartháir déag	deirfiúr déag	col ceathrar déag
dáréag (12)	dáréag deartháireacha	dáréag deirfiúracha	dáréag col ceathracha

Counting people

Counting people: 1-12

duine amháin	beirt	triúr	ceathrar
cúigear	seisear	seachtar	ochtar
naonúr	deichniúr	duine dhéag	dáréag

How nouns change after personal numbers:

Nouns take a special plural form after these personal numbers.
This is known as the Genitive plural.

beirt bhan	*two women*	triúr gasúr	*three boys*
ceathrar cailíní	*four girls*	cúigear amhránaithe	*five singers*
seisear fear	*six men*	seachtar múinteoirí	*seven teachers*
ochtar buachaillí	*eight boys*	naonúr fiaclóirí	*nine dentists*
deichniúr léachtóirí	*ten lecturers*		

> **beirt:**
>
> The word *beirt* aspirates the noun which follows, except nouns that can't be aspirated and those that begin with *d, s,* or t.
>
> beirt **ch**ailíní *two girls* BUT beirt saighdiúirí *two soldiers*

Counting people: 12 +

When we are counting people above 12, we go back to the normal numbers in Irish.

Trí pheileadóir déag *Thirteen footballers*   Ocht múinteoir déag *Eighteen teachers*

Tríocha cara *Thirty friends*   Ocht ngasúr is daichead *Forty eight boy*

WRITING

Make the appropriate changes to the words in brackets:

1. 7 (fear)
2. 2 (múinteoir)
3. 2 (meicneoir)
4. 30 (duine)
5. 3 (scoláire)
6. 6 (iascaire)
7. 10 (cailín)
8. 14 (páiste)
9. 19 (fear)

10. 24 (cailín)
11. 8 (duine)
12. 16 (páiste)
13. 20 (bean)
14. 5 (duine)
15. 12 (bean)
16. 28 (siopadóir)
17. 40 (buachaill)
18. 70 (scoláire)